KB082316

최란수 창본 박초월제 수궁가

최란수 창본 박초월제 수궁가

발 행 | 2024년 01월 15일
교 주 | 박가빈
펴낸이 | 한건희
펴낸곳 | 주식회사 부크크
출판사등록 | 2014.07.15.(제2014-16호)
주 소 | 서울특별시 금천구 가산디지털1로 119 SK트윈타워 A동 305호
전 화 | 1670-8316
이메일 | info@bookk.co.kr

ISBN | 979-11-410-6644-4

www.bookk.co.kr

최란수 창본

박 초 월 제 『수 궁 가』

감수 김 기

교주 박가빈

교주 박가빈

1988년 군산 출생

판소리 전공

- 이화여자대학교 음악 박사
- 제 19회 공주 박동진 판소리 명창 명고대회
  일반부 장원. (2018)
- 제 26회 구례 송만갑 판소리 명창 명고대회
  명창부 대통령상. (2022)

- 최란수 바디 박초월제 흥보가 완창 (1999)
- 조상현 바디 강산제 심청가 완창. (2021)
- 조상현 바디 김세종제 춘향가 완창. (2023)

- 저서
  판소리 사설집1 조상현 창본 강산제 심청가 (2021)
  판소리 사설집2 조상현 창본 김세종제 춘향가 (2022)
  판소리 사설집3 한농선 창본 박녹주제 흥보가 (2022)
  판소리 사설집4 윤진철 창본 강산제 적벽가 (2023)

*e-mail: flower6528@hanmail.net

감수 김 기

성균관대학교 유학과 철학박사

한국고전번역원 강사

목 차

서 문 ··· 1
최란수 창본『박초월제 수궁가』 ··· 2
“최란수 唱 박초월제 수궁가” 전승 계보 ··· 3

Ⅰ. 용왕 득병 (得病) ··· 5
1. 탑상을 탕탕 (진양조) ··· 6
2. 뜻밖으 현운 · 흑운이 (엇모리) ··· 7
3. 왕이 팔을 내어주니 (자진모리) ··· 8
4. 도사 다시 맥을 볼 제 (중모리) ··· 13
5. 왕왈 연하다 (진양조) ··· 14

Ⅱ. 어전 회의 ··· 17
6. 승상은 거북 (자진모리) ··· 18
7. 왕이 다시 탄식한다 (중모리) ··· 20
8. 방첨사 조개가 어떠헌고? (중중모리) ··· 22
9. 정언이 여짜오되 (자진모리) ··· 23
10. 신의 고향 세상이요 (중중모리) ··· 24

11. 영덕전 뒤로 (진양조) ······ 25

Ⅲ. 자라, 육지세상으로 ······ 27
12. 화공을 불러라 (중중모리) ······ 28
13. 여봐라 주부야 (진양조) ······ 30
14. 여보 나리 (중중모리) ······ 32
15. 고고천변일륜홍 (중중모리) ······ 34

Ⅳ. 날짐생의 상좌 다툼 ······ 39
16. 이 내 말을 들어봐라 (단중모리) ······ 40
17. 내 근본 들어라 (엇중모리) ······ 41
18. 부엉이 허허 웃고 (자진모리) ······ 43

Ⅴ. 길짐승의 상좌 다툼 ······ 45
19. 공부자 작춘추에 (중모리) ······ 46
20. 자네들 내 나이를 들어보소 (단중모리) ······ 47
21. 자네들 내 나이를 들어보소 (중중모리) ······ 49
22. 나의 연세를 들어보소 (중모리) ······ 50

Ⅵ. 자라와 호랑이의 만남 ······ 51
23. 범 내려 온다. (엇모리) ······ 52
24. 얼씨구나 절씨구. (중중모리) ······ 54
25. 우리 수국 퇴락하야 (자진모리) ······ 56

Ⅶ. 자라와 토끼의 만남 ········ 59
26. 계변양류 (진양조) ········ 60
27. 한 곳을 바라보니 (중중모리) ········ 62
28. 임자없는 녹수청산 (중모리) ········ 64
29. 일개한퇴 그대신세 (자진모리) ········ 68
30. 우리수궁 별천지라 (진양조) ········ 73

Ⅷ. 토끼, 물 속으로 ········ 77
31. 자라는 앞에서 앙금앙금 (단중모리) ········ 78
32. 수궁천리 머다 마소 (중모리) ········ 80
33. 범피중류 (진양조) ········ 83

Ⅸ. 토끼, 위기에 처하다 ········ 89
34. 좌우 나졸 (자진모리) ········ 90
35. 말을 허라니 허오리다 (중모리) ········ 94

Ⅹ. 수궁 풍류 (風流) ········ 101
36. 왕자진의 봉피리 (엇모리) ········ 102
37. 앞내 버들은 (중중모리) ········ 104
38. 별주부가 울며 여짜오되 (중중모리) ········ 105

Ⅺ. 토끼, 다시 육지세상으로 ········ 109
39. 가자 가자 어서 가자 (진양조) ········ 110
40. 백마주 바삐 지내여 (중중모리) ········ 111

41. 네기를 붙고 (중모리) ········· 113
42. 사람의 내력을 들어라 (자진모리) ········· 114
43. 어이 가리너 (중모리) ········· 118
44. 관대장자 한고조 (중중모리) ········· 119
45. 아이고 아이고 (중모리) ········· 121
46. 독수리 그제야 (엇중모리) ········· 125

부 록 ········· **127**
최란수 활동내용 ········· 129
장 단 (長短) ········· 133

참고문헌 ········· **137**

서 문

저는 '故최란수 선생님'께 최란수 창본 『박초월제 수궁가』를 모두 사사하였습니다. 그러나 판소리 사설(辭說)에는 한자어(漢字語), 한시(漢詩), 방언(方言) 등이 섞여 있어 어려운 문장들이 많고, 판소리의 전승방법이 구전심수(口傳心授)이기 때문에 실제 의미와는 다르게 부르는 사설이 많습니다. 그래서 그 의미를 제대로 알고 부르는 데 어려움이 컸습니다.

이러한 상황을 파악한 저는 판소리 전공자로서 판소리 음악의 기본이자 바탕이 되는 사설부터 다시 정리해야겠다고 생각하여, 기존에 전해 내려오는 '故최란수 선생님'의 창본 『박초월제 수궁가』 를 바탕으로, 문장 교정과 주석을 추가하여 재정리하였습니다.

이 책이 만들어지기까지 많은 분들의 도움을 받았습니다. 최란수 창본 『박초월제 수궁가』를 가르쳐주신 존경하는 故최란수 선생님, 흔쾌히 감수를 맡아주신 존경하는 김기 박사님과 큰 가르침과 깨우침을 주신 故권오성 교수님과 사재동 교수님, 전주도립국악원 박미선 선생님, 전주시립국악단 최경래 선생님, 판소리교육연구소 소장 박연희 선생님, 그리고 부족한 저를 늘 아껴주시고 사랑해주시는 모든 분들께 진심으로 감사드립니다.

2024년 1월 冬

박가빈 올림.

최란수 창본『박초월제 수궁가』

판소리는 지역적 특성과 전승 계보에 따라
전라도 동북 지역의 "동편제"
전라도 서남 지역의 "서편제"
경기도·충청도 지역의 "중고제"로 나뉘는데

최란수 창본『박초월제 수궁가』는 "동편제" 계열이지만,
웅장하면서도 호탕하고 담백하면서도 꿋꿋한 특징을 가지고 있는 동편제의 특징과 달리, 미산 박초월에 의해서 슬프고 애타는 느낌을 주는 계면조 중심으로 변화하였다.

현재,『박초월제 수궁가』를 부르는 명창들이 많지만, 부르는 사람에 따라 사설의 내용이 조금씩 상이(相異)하다.

그러므로, 최란수 창본『박초월제 수궁가』는 최란수 명창이 부르는
수궁가 사설집이다.

본 책은 기존에 전해 내려온 최란수의『박초월제 수궁가』창본을 바탕으로 문장 교정과 주석을 추가하여 재정리하였다.

“최란수 唱 박초월제 수궁가” 전승 계보

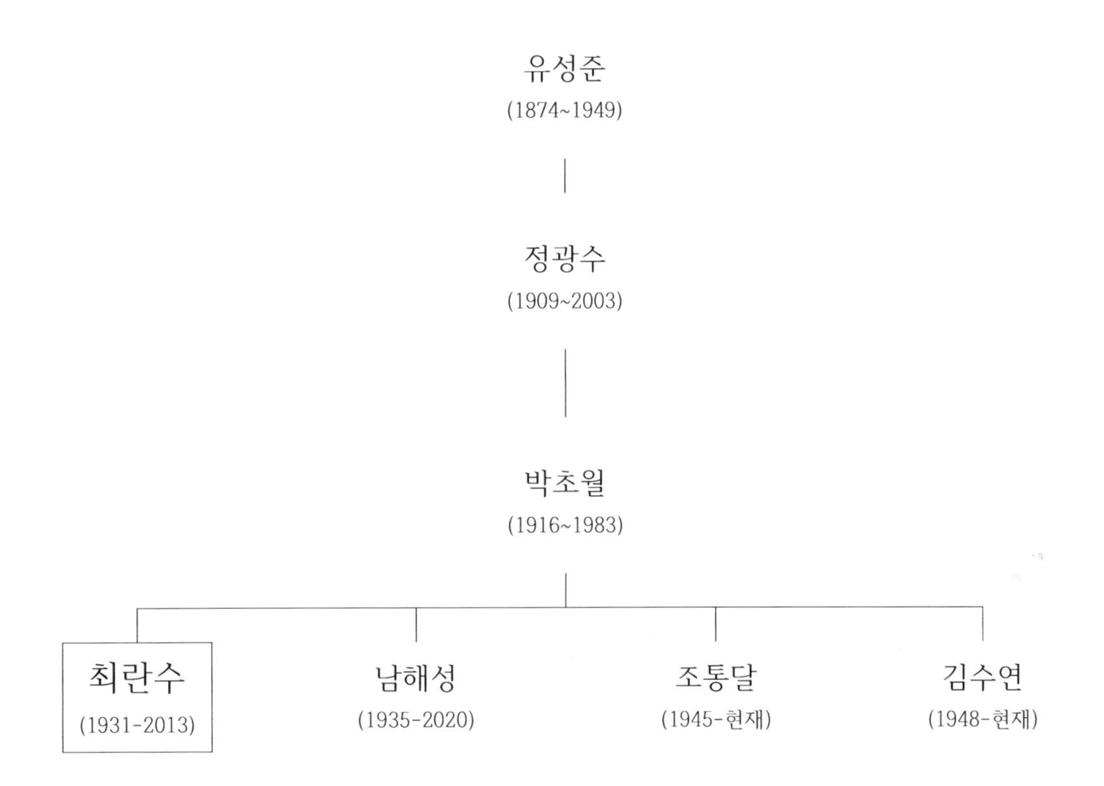

Ⅰ. 용왕 득병 (得病)

1. 탑상을 탕탕 (진양조)

- 남해 용왕이 병을 얻어서 나을 가망이 없자, 홀로 탄식을 한다.

[아니리]

그때여 남해 용왕[1])이 영덕전[2]) 새로 짓고

대연[3])을 배설[4])헐 제, 삼해 용왕[5])을 청하여

군신빈객[6])이 좌우로 늘어 앉어 수삼 일[7])을 즐기다가

과음하신 탓이 온지 우연 득병[8])하야 백약이 무효[9])라.

용왕이 홀로 앉어 탄식을 허시는디

[진양조]

탑상[10])을 탕탕 뚜다리며 탄식허여 울음을 운다

"용왕의 기구[11])로되 괴이한 병을 얻어

수정궁의 높은 집에 벗 없이 누웠은들

화타[12]) 편작[13])이 없었으니, 어느 누구가 날 살릴거나?"

---

1) 남해 용왕(南海 龍王): 남해의 광리왕(廣利王). 중국 신화에서 남쪽 바다를 맡았다고 하는 축융신(祝融神)으로, 당나라 때, 현종(玄宗) 40년 정월에 봉했다고 함.
2) 영덕전(靈德殿): 명나라 구우(瞿佑)가 지은「전등신화(剪燈神話)」의 수궁경회록(水宮慶會錄) 편에 나오는 광리왕이 지었다는 궁전(宮殿).
3) 대연(大宴): 큰 잔치 또는, 큰 연회.
4) 배설(排設): 의식, 연회 등에서 필요한 여러 가지 제구(祭具)를 차려 놓음.
5) 삼해용왕(三海龍王): 남해의 광리왕을 뺀 동해의 광덕왕(廣德王), 서해의 광윤왕(廣潤王), 북해의 광택왕(廣澤王)을 일컬음.
6) 군신빈객(君臣賓客): 임금과 신하와 귀한 손님들.
7) 수삼 일: 2 ~ 3일.
8) 우연득병(卒然得病): 갑자기 병을 얻음.
9) 백약(百藥)이 무효(無效)라: 좋다는 약은 모두 써도 좀처럼 병이 낫지 않음.
10) 탑상(榻床): 걸상이나 침대 따위를 통틀어 일컫는 말.
11) 기구: '기구하다'의 어근. '기구(崎嶇)하다'는 세상살이가 순탄하지 못하다는 뜻.
12) 화타(華陀): 중국 후한 말기의 명의로, 약제의 조제, 뜸, 침술 등에 능통했으며, 역사

웅장헌 용성[14]으로 신세자탄 울음을 운다.

2. 뜻밖으 현운 · 흑운이 (엇모리)

- 도사가 하늘에서 내려와 용왕 병의 증세를 살핀다.

[엇모리]

뜻밖으 현운 · 흑운[15]이 궁전을 뒤덮고

표풍세우[16]가 사면으로 두루더니

선의도사[17]가 학창의[18] 떨쳐 입고[19]

궁전을 내려와 재배이진 왈[20]

"약수[21]삼천리에 해당화[22] 구경과

백운 요지연[23]의 천년벽도[24]를 얻으랴고 가옵다가

과약풍편[25]에 듣자오니

대왕의 병세[26]가 만만위중 타기로[27] 뵈옵고저 왔나이다."

상 최고의 외과의사, 마비산(麻沸散)이라는 마취제를 이용한 전신마취법을 창안함.

13) 편작(遍鵲): 중국 전국시대 정나라의 명의(名醫)로, 이름은 진월인(秦越人). 각지를 돌며 많은 사람들의 병을 고쳤고, 진맥에 뛰어났으며, 침술과 뜸, 탕약 등으로 병을 고쳤음.

14) 용성(龍聲): 용의 울음소리.

15) 현운·흑운(玄雲·黑雲): 검은 구름.

16) 표풍세우(飄風細雨): 회오리 바람이 불고 가는 비가 내림.

17) 선의 도사(仙衣 道士): 신선(神仙)의 옷차림을 한 도사(道士).

18) 학창의(鶴氅衣): 학의 깃으로 만든 털옷. '창의'는 벼슬아치가 평상시에 입던 옷을 말함.

19) 떨쳐입고: 늘어 뜨려 입고.

20) 재배이진 왈(再拜而進 曰): 두 번 절을 하고 앞으로 나와서 말하기를.

21) 약수(弱水): 신선(神仙)이 살았다는 중국 서쪽의 전설적인 강.

22) 해당화(海棠花): 장미목 장미과의 낙엽관목.

23) 백운 요지연(白雲 瑤池宴): 흰 구름 속의 요지에서 열리는 잔치. '요지'는 중국 곤륜산에 있다는 연못으로, 주(周)나라 목왕(穆王)이 서왕모(西王母)를 만났다고 하는 곳.

24) 천년벽도(千年碧桃): 천년에 한 번씩 신선(神仙)이 사는 곳에서 열린다는 복숭아.

25) 과약풍편(寡弱風便): 희미하게 떠도는 소문.

3. 왕이 팔을 내어주니 (자진모리)

- 도사가 온갖 약과 침법을 다 시도해도 용왕의 병세가 나아지지 않는다.

[아니리]

"원컨대 도사는 나의 맥[28]을 보아

황황한[29] 나의 병세의 특효지약[30]을 자세히 일러 주옵소서."

[자진모리]

왕이 팔을 내어주니 도사 앉어 맥을 볼 제

"심소장은 화[31]요 간담은 목[32]이요

폐대장은 금[33]이요 신방광 수[34]요, 비위난 토[35]라.

간목이 태과[36]허여 목극토[37]허였으니

비위가 상하옵고[38] 담경[39]이 심허니[40] 신경이 미약허고[41]

폐대장이 왕성허니[42] 간담경 자진[43]이라.

---

26) 병세(病勢): 병의 상태 또는, 병의 증세.
27) 만만위중(萬萬危重) 타기로: 아주 위험할 만큼 매우 중한 병에 있다 하기로.
28) 맥(脈): 손목이나 발목의 맥박(脈搏).
29) 황황(惶惶)한: 매우 두려운.
30) 특효지약(特效之藥): 어떤 질병에 대하여 특별한 효험이 있는 약.
31) 심소장(心小腸)은 화(火): 심장과 소장(小腸)은 오행의 화(火)에 해당함.
32) 간담(肝膽)은 목(木): 간과 쓸개는 오행의 목(木)에 해당함.
33) 폐대장(肺大臟)은 金(금): 폐와 대장은 오행의 금(金)에 해당함.
34) 신방광(腎膀胱) 수(水): 신장(腎臟)과 오줌보는 오행의 수(水)에 해당함.
35) 비위(脾胃)난 토(土): 비장(脾腸)과 위(胃)는 오행의 토(土)에 해당함.
36) 간목(肝木)이 태과(太過): 오행의 목에 해당하는 간이 지나치게 큼.
37) 목극토(木克土): 오행상극설(五行相剋說)에서 목성(木性)이 토성(土性)을 이김.
38) 비위(脾胃)가 상(傷)하옵고: 비장과 위가 다쳐 상처를 입고.
39) 담경(膽經): 쓸개의 경락. '경락(經絡)'은 오장 육부의 병이 몸 거죽에 나타나는 자리. 이 자리를 침이나 뜸, 그 밖의 여러 가지 방법으로 자극하면 관계된 장부의 병이 낫게 됨.
40) 심(甚)허니: 보통보다 더하니.
41) 신경(腎經)이 미약(微弱)허고: 콩팥의 경략이 약해지고.

방서[44]에 일렀으되

비내일신지조종[45]이요 담은 내일신지표본[46]이라.

심정즉 만병이 식허고, 심동즉 만병이 생하오며[47]

심경 곧 상하오면 무슨 병이 아니 날까?

오로 칠상[48]이 급하오니 보중탕[49]을 잡수시오.

숙지황[50] 주초[51] 닷 돈이요

산사육[52] 천문동[53] 세신[54]을 거토[55]

육종용[56] 택사[57] 앵속각[58] 각 한 돈, 감초[59] 칠 푼

---

42) 폐대장(肺大臟)이 왕성(旺盛)허니: 폐와 대장이 한창 성하니.
43) 간담경(肝膽經) 자진(自盡): 간과 쓸개의 경락이 저절로 없어짐.
44) 방서(方書): 한약을 짓기 위해 약재 이름과 그 분량을 적은 책.
45) 비내일신지조종((脾乃一身之祖宗): 비장은 한 몸에서 가장 중요한 것임.
46) 담(膽)은 내일신지표본(乃一身之標本): 쓸개는 한 몸의 표본임.
47) 심정즉 만병(心靜則 萬病)이 식(息)허고 심동즉 만병(心動則 萬病)이 생(生)하오며: 마음이 고요하면 온갖 병이 사라지고, 마음이 어지러우면 온갖 병이 생기며
48) 오로 칠상(五勞 七傷): 한방에서 오로(五勞)는 질병을 유발하는 5가지의 피로를, 칠상(七傷)은 질병을 유발하는 7가지 행동을 뜻한다.
49) 보중탕(補中湯): 보중익기탕(補中益氣蕩). 담화(痰火)로 인해 구토가 일어나고 음식이 내려가지 않으며, 가슴이 답답하고 메스꺼우며 어지럽고 소화가 잘 안되는 증세를 치료하는 탕약.
50) 숙지황(熟地黃): 지황(地黃)의 뿌리를 쪄서 말린 한약재. 지황은 현삼과에 딸린 여러해살이 약용식물로 그 뿌리를 한방에서 약재로 쓰는데, 날 것을 생지황, 말린 것을 건지황이라하며, 숙지황 중 특히 술에 담갔다가 쪄서 말리기를 9번 되풀이하여 만든 것은 구지황이라 하여 그 약효를 으뜸으로 침.
51) 주초(酒炒): 약제를 술에 담갔다가 건져내어 볶음.
52) 산사육(山査肉): 씨를 발라낸 산사나무의 열매. 위장을 튼튼하게 하고 소화제로 씀.
53) 천문동(天門冬): 천문동과에 속하는 다년생 넝쿨풀의 뿌리. 성질은 차며, 진해제(鎭咳劑), 이뇨제(利尿劑), 강장제(强壯劑)로 쓰임.
54) 세신(細辛): 한약재의 일종. 족두리풀이나 미족두리풀의 뿌리. 말려서 두통(頭痛), 발한(發汗), 거담(去痰) 등의 약재로 씀.
55) 거토(去土): 약재에 묻은 흙을 떨어냄.
56) 육종용(肉蓯容): 열당과(列當科)에 속하는 기생 식물. 폐병의 특효약.
57) 택사(澤瀉): 한약재의 일종. 택사의 덩이뿌리를 가리킴. 성질이 차며, 이수도(利水道), 임질(淋疾), 습진, 부종 등의 약으로 씀.
58) 앵속각(罌粟殼): 한약재의 일종. 양귀비 열매의 껍질. 거담(祛痰), 진경제(鎭痙劑) 또는 설사, 이질 등에 씀.
59) 김초(甘草): 한약재의 일종. 감초의 뿌리. 단맛이 있어 비위(脾胃)를 돕고, 다른 약재의 작용을 부드럽게 하므로 모든 처방에 널리 쓰임.

수일승전반연용[60] 이십여 첩[61] 쓰되 효무동정[62]이라.

"설사가 급하오니 가감백출탕[63]을 잡수시오."

백출[64]을 초구[65]하야 서 돈이요, 사인[66]을 초구하야 두 돈이요

백복령[67] 산약[68] 오미자[69] 회향[70] 당귀[71] 천궁[72]

강활[73] 독활[74] 각각 한 돈, 감초 칠 푼

수일승전반연용 사십여 첩을 쓰되 효무동정이라

신농씨 백초약[75]을 갖가지로 다 쓰랴다는[76]

지레[77] 먼저 죽을 테니, 약을 한 데 모일적으

---

60) 수일승전반연용(水一升 半連用): 물 한 되를 붓고 절반이 되도록 달여 계속 복용함.
61) 첩(帖): 약봉지에 싼 약의 뭉치를 세는 말.
62) 효무동정(效無動靜): 병의 차도가 없음.
63) 가감백출탕(加減白朮湯): 백출탕의 원방에서 다른 약재를 덜하거나 더하여 지은 탕약.
64) 백출(白朮): 한약재의 일종으로 삽주의 덩얼진 뿌리. 성질이 따뜻하며, 비위(脾胃)를 돕고, 소화불량, 구토, 설사, 습증 등에 씀.
65) 초구(秒灸): 백출을 황토에 싸서 구운 다음 황토를 벗김.
66) 사인(砂仁): 축사밀(縮砂密)이라는 생강과의 다년초의 씨. 성질이 따뜻하고, 소화제로 좋은 약재.
67) 백복령(白茯笭): 한약재의 일종으로, 빛깔이 흰 복령. 땀이 알맞게 나도록 하고, 오줌을 순하게 하며, 담증(膽症), 부증(浮症), 습증(濕症), 설사 등에 쓰이는데, 보(補)하는 효험이 있음.
68) 산약(山藥): 한방에서 '마의 뿌리'를 약제로 이르는 말. 강장제나 유정, 몽설, 대하, 요통 등에 씀.
69) 오미자(五味子): 오미자나무의 열매. 폐를 돕는 효험이 있어, 기침이나 갈증(渴症) 해소에 쓰이며, 땀과 설사를 그치게 하는 데에도 쓰임.
70) 회향(懷香): 회향풀. 회향풀의 열매. 대회향과 소회향이 있으며 다 같이 약으로 쓰임.
71) 당귀(當歸): 한방에서 '승검초'의 뿌리를 약재로 이르는 말. 성질은 따뜻하고, 맛이 담. 진통, 배농(排膿), 지혈, 강장작용이 있어 복통, 종기, 타박상의 약으로 쓰이며, 부인병에 좋음.
72) 천궁(川芎): 한약재의 일종으로, 한방에서 '청궁과 궁궁이의 뿌리'를 약재로 이르는 말. 두통, 빈혈증, 부인병 등에 씀.
73) 강활(羌活): 한약재의 일종으로, 강활의 뿌리. 한약 건재(乾材)의 일종으로 해열 및 진통제로 씀.
74) 독활(獨活): 한약재의 일종으로, 한방에서 '멧두릅(미나릿과의 다년초)의 뿌리'를 약재로 이르는 말. 감기나 습증 등으로 팔 다리 근육이 쑤시고 아픈데, 하반신마비, 두통, 중풍의 반신불수 등의 약으로 쓰임.
75) 신농씨 백초약(神農氏 白草藥): 신농씨가 온갖 약초로 만든 약.
76) 쓰랴다는: 쓰려고 하다가는.
77) 지레: 어떤 시기가 되기 전이나 무슨 일이 채 되기도 전에 미리.

인삼은 미감허니[78] 대보원기[79]허고

지갈생진[80]하며 조영양위[81]로다.

백출[82] 감온[83]허니 건비강위[84]허고

제사제습[85]허고 겸치담비[86]라

감초는 감온허니 구즉온중[87]허고 생즉사화[88]로다

침구[89]로 다스릴 제, 천지지상경[90]이며

갑일갑술시[91] 담경[92] 유수[93]를 주고

을일유시[94]에 대장경상양[95]을 주고

영구[96]로 주어 보자

일 신맥,[97] 이 조해,[98] 삼 외관[99]

---

78) 인삼은 미감(味甘)허니: 인삼은 단맛이 있어.
79) 대보원기(大補元氣): 몸의 원기를 크게 북돋아 줌.
80) 지갈생진(止渴生津): 갈증을 없애고 진액(영양물질)을 생기게 함.
81) 조영양위(造榮養胃): 몸의 기운을 돕고 위장의 기능을 증진시킴.
82) 백출(白朮): 삽주의 뭉치지 않은 뿌리와 줄기. 발한, 이뇨, 진통, 건위 등에 효능.
83) 감온(甘溫): 달고 따뜻함.
84) 건비강위(建碑强胃): 지라(비장)를 건강하게 하며 위를 강하게 함.
85) 제사제습(除瀉除濕): 설사를 멎게 하고, 습기를 제거함.
86) 겸치담비(兼治膽脾): 쓸개와 지라(비장)의 병도 아울러 치료함.
87) 구즉온중(灸則溫中): 중초(뱃속)가 따뜻해짐.
88) 생즉사화(生則瀉火): 생것은 열기를 내보냄.
89) 침구(鍼灸): 한의학에서 침질과 뜸질을 함께 이르는 말
90) 천지지상경(天地之上經): 침을 놓기에 날씨가 지극히 좋음.
91) 갑일갑술시(甲日甲戌時): 일진에 '갑'이 들어가는 날, 60갑자의 쉰 한 번째, 7~9시 사이.
92) 담경(膽經): 쓸개의 경락.
93) 유수(幽遂): 족소양담경맥(足少陽膽經脈)으로, 양쪽 눈꼬리에서 시작하여 몸의 겨드랑이 밑과 다리 바깥 부분을 거쳐 새끼발가락에서 끝나는 경락.
94) 을일유시(乙日酉時): 일진에'을'이 들어간 날 오후 5시~7시 사이.
95) 대장경상양(大腸經商陽): 수양명대장경에 속하는 상양혈. '상양'은 둘째 손가락 노뼈쪽 손톱 뒷모서리에서 일 푼(0.3㎝정도) 뒤에 있음.
96) 영구(靈龜): 영구팔법(靈龜八法). 고대에 쓰던 팔괘·구궁도·기경팔맥의 이론에 따라 침을 놓을 때의 날짜, 시간과 천간과 지지의 숫자로 계산하여 나온 숫자를, 팔맥교회혈의 숫자에 대입하여 혈을 선택하는 배혈 방법.
97) 일 신맥(一 申脈): 구궁팔괘와 팔맥교회혈의 배합에서 숫자 1은 신맥에 해당된다는 말.

사 임읍,[100] 오 소해[101], 육 공손[102]

칠 후계,[103] 팔 내관,[104] 구 열결[105]

삼기[106] 붙인[107] 팔문[108]과 자맥[109]을 풀었으되

효험[110]이 없으니 십이경[111] 주어 보자

승장[112] 염천[113] 천돌[114] 구미[115]

거궐[116] 상완[117] 중완[118] 하완[119] 신궐[120] 단전[121]

곤륜[122]을 주고, 족태음비경[123] 삼음교[124]

---

98) 이 조해(二 照海): 구궁팔괘와 팔맥교회혈의 배합에서 숫자 2는 조해에 해당된다는 말.
99) 삼 외관(三 外關): 구궁팔괘와 팔맥교회혈의 배합에서 숫자 3은 외관에 해당된다는 말.
100) 사 임읍(四 臨泣): 구궁팔괘와 팔맥교회혈의 배합에서 숫자 4는 임읍에 해당된다는 말.
101) 오 소해(五 少海): 구궁팔괘와 팔맥교회혈의 배합에서 숫자 5는 소해에 해당된다는말.
102) 육 공손(六 公遜): 구궁팔괘와 팔맥교회혈의 배합에서 숫자 6은 공손에 해당된다는 말.
103) 칠 후계(七 後鷄): 구궁팔괘와 팔맥교회혈의 배합에서 숫자 7은 후계에 해당된다는 말.
104) 팔 내관(八 內關): 구궁팔괘와 팔맥교회혈의 배합에서 숫자 8은 내관에 해당된다는 말.
105) 구 열결(九 列缺): 구궁팔괘와 팔맥교회혈의 배합에서 숫자 9는 열결에 해당된다는 말.
106) 삼기(三氣): 풍(風) · 한(寒) · 습(濕)의 세 가지 사기(邪氣)를 통틀어 이르는 말.
107) 붙인: 만들어 붙인.
108) 팔문(八門): 음양가(陰陽家)가 낙서(洛書)에 기초한 구궁(九宮)에 맞추어 길흉을 판단하는 8가지 문(門).
109) 자맥(自脈): 자기 자신의 맥을 짚어 스스로 진찰하는 일.
110) 효험(效驗): 일의 좋은 보람. 효력, 효용.
111) 십이경(十二經): 십이 경락(十二經絡). 침구학에서 시술 할때 활용하는 피부나 근육에 나타나는 중요한 반응점이 연결되는 경락.
112) 승장(承漿): 임맥의 혈 이름. 정중선에서 아랫입술 아래 가장 깊숙한 곳.
113) 염천(廉泉): 임맥의 혈 이름. 혀뼈의 윗변연 중심부이며, 머리를 뒤로 젖히고 침을 놓음.
114) 天突(천돌): 임맥의 혈 이름. 앞 정중선상의 흉골병 경절흔에서 위로 5푼 되는 우묵한 곳.
115) 구미(鳩尾): 임맥의 혈 이름. 검상돌기와 갈비활을 연결한 중심에서 한 치 아래되는 곳.
116) 거월(巨闕): 임맥의 혈 이름. 앞 정중선 배꼽 위 6촌 되는 곳. 1촌은 약 3㎝에 해당함.
117) 상환(上腕): 임맥의 혈 이름. 앞 정중선 배꼽 위 5촌 되는 곳.
118) 중환(中脘): 임맥의 혈 이름. 앞 정중선 배꼽 위 4촌 되는 곳.
119) 하완(下脘): 임맥의 혈 이름. 앞 정중선 배꼽 위 2촌 되는 곳.
120) 신궐(神厥): 임맥의 혈 이름. 배꼽 중앙.
121) 단전(丹田): 임맥의 혈인 석문, 음교, 기해, 관원 혈을 가리키는데, 일반적으로 관원 혈을 이름.
122) 곤륜(崑崙): 족태양방광경의 혈 이름. 바깥 복숭아뼈 중심을 지나는 수평선 높이에서 바깥 복숭아뼈의 뒷기슭과 뒤축뼈 힘줄의 바깥 기슭과의 중간 점.
123) 족태음비경(足太陰脾經): 12경맥의 하나.

음릉천[125]을 주어보되, 아무리 약과 침법을 허되

병세 점점 위중터라.

4. 도사 다시 맥을 볼 제 (중모리)

- 도사가 다시 용왕을 진맥하여 토끼의 간을 먹어야 병이 나을 수 있다고 처방한다.

[중모리]

도사 다시 맥을 볼 제

“맥이 경동맥[126]이라

비위맥[127]이 상하오니 복중[128]으로 난 병이요

복중이 절려 아프기난 홧병으로 난 병인데, 음양풍병[129]이라.

여섯 가지 기운이 동하야[130]

손기[131] 신기[132]난 정음[133]이요

진경해미난[134] 정양[135]이라.

음허화동[136] 황달[137]을 겸하였사오니

---

124) 삼음교(三陰交): 족태음비경에 속하는 혈(穴). 복숭아뼈의 중심에서 세 치 올라가 굵은 정강이 뼈의 안쪽 후면과 긴 발가락굽 힘살 사이.
125) 음릉천(陰陵泉): 족태음비경에 속하는 혈(穴). 굵은 정강이뼈 안쪽 뒤 아래 우묵한 곳.
126) 경동맥(頸動脈): 척추동물의 목에 좌우에 있어, 얼굴이나 머리에 혈액을 보내는 동맥.
127) 비위맥(脾胃脈): 족태음비경과 족양명위경의 맥.
128) 복중(腹中): 뱃속.
129) 음양풍병(陰陽風病): 음양의 부조화로 말미암아 정신작용, 근육신축, 감각 등에 고장이 생긴 병.
130) 동(動)하야: 발동하여.
131) 손기(巽氣): 팔괘의 손에 속하는 기운.
132) 신기(辛氣): 12지의 신에 속하는 기운
133) 정음(正陰): 가장 강한 음기.
134) 진경해미(辰庚亥未)난: 십이지(十二支) 중에서 진(辰)과 경(庚)과 해(亥)와 미(未)는.
135) 정양(正陽): 가장 강한 양기.

진세[138]산간의 토끼 간을 얻으면 차효[139]가 있으려니와

만일 그렇지 못하오면 염라대왕이 동성삼촌[140]이요

동방삭[141]이가 조상이 되어도

누루 황, 새암 천, 돌아갈 귀 허것소."[142]

5. 왕왈 연하다 (진양조)

- 용왕이 도사의 말을 듣고, 용왕은 토끼를 구하기 어렵다며 다른 처방을 요구한다.

[아니리]

용왕이 왈

"어찌 신농씨[143] 백초약은 약이 아니 되옵고

조그만한 진세[144] 토끼 간이 약이라 하나이까?"

도사 왈, "대왕은 진[145]이요, 토끼는 묘[146]라.

---

136) 음허화동(陰虛火動): 한방에서 이르는, 음기가 허하여서 일어나는 병의 한 가지.

137) 황달(黃疸): 주로 간장의 고장으로 인해 몸속에 Bilirubin (적혈구가 수명을 다하고 파괴되어 생기는 물질)이 과잉 축적되어 피부와 점막이 노랗게 물드는 증상을 말함.

138) 진세(塵世): 속세의 세상. 여기서는'육지'를 가리킴.

139) 차효(差效): 병이 조금씩 나아가는 일.

140) 동성삼촌(同姓三寸): 같은 성씨에 삼촌지간이 되는 가까운 사이.

141) 동방삭(東方朔): 중국 전한의 문인으로, 자는 만천. 벼슬이 금마문시중(金馬門侍中)에 이르고 해학, 방술(方), 기행(奇行), 풍자로 유명함. 막힘이 없는 유창한 변설과 재치로 한무제(漢武帝)의 사랑을 받아 측근이 되었음.

142) 누루 황(黃) 새암 천(泉) 돌아갈 귀(歸) 허것소: 누른 황, 샘 천, 돌아갈 귀 허였소. 황천으로 돌아감, 곧 죽겠다는 말.

143) 신농씨(神農氏): 중국 3황(皇) 5제(帝) 중 3황의 한 사람으로,「맹자(孟子)」에서 처음 나옴. 불의 덕(德)으로 임금이 된 까닭에 염제(炎帝)라고 일컬으며, 백성에게 농사 짓는 법을 가르쳐 신농씨라 하며, 약초를 찾아내어 병을 고치게 했다고 함.

144) 진세(塵世): 속세. 인간이 사는 이 세상.

145) 용왕은 진(辰): 용왕은 십이지(十二支)에서 진을 나타냄.

146) 토끼는 묘(卯): 토끼는 십이지(十二支)에서 묘를 나타냄.

묘을손은 음목[147]이요, 간진술은 양토[148]라 허였으니,

어찌 약이 아니 되오리까?"

수궁에는 토끼가 없는지라, 용왕이 앉어 탄식을 허시는디

[진양조]

왕 왈

"연하다.[149] 수연이나[150]

창망헌[151] 진세[152]간의 벽해 만경[153] 밖으

백운[154]이 구만리요 여산 송백[155] 울울창창[156]

삼천고분[157] 황제의 묘라.

토끼라 허는 짐생은 해외일월[158]의 밝은 세상

백운 청산 무정처[159]로 시비 없이[160] 다니는 짐생을

내가 어찌 구하리까?

---

147) 묘을손(卯乙巽)은 음목(陰木): 주역의 점술법에 의하면, 십이지의 묘와 십간의 을은 오행의 목(木)에 해당되는데, 팔괘의 손(巽)이 소음(少陰)이므로, 셋이 합하여 음의 목이 된다는 말.

148) 간진술(艮辰戌)은 양토(陽土): 주역의 점술법에 의하면, 십이지의 진과 십간의 술은 오행의 토(土)에 해당되는데, 팔괘의 간은 소양(少陽)이므로 셋이 합하여 양의 토가 된다는 말.

149) 연(然)하다: 그렇다.

150) 수연(雖然)이나: 비록 그러하나.

151) 창망(滄茫)헌: 넓고 멀어서 아득한.

152) 진세(塵世): 복잡하고 어수선한 세상. 속세.

153) 벽해 만경(碧海 萬頃): 만경이나 되는 푸른 바다.

154) 백운(白雲): 흰 구름.

155) 여산 송백(驪山 松栢): 진시황의 무덤이 있는 여산의 소나무와 잣나무.

156) 울울창창(鬱鬱蒼蒼): 나무가 매우 푸르고 울창함.

157) 삼천고분(三千古墳): 삼천 개나 되는 옛 무덤.

158) 해외일월(海外日月): 바다 밖(육지)의 해와 달.

159) 무정처(無定處): 거처를 정하지 않고 아무 곳이나, 정처없이.

160) 시비(是非) 없이: 본래는,'옳고 그름없이', '잘잘못 없이'라는 뜻인데, 여기서는'가리지 않고'라는 의미.

죽기는 쉽사와도 토끼는 구하지 못허것으니
달리 약명[161]을 일러를 주오."

161) 약명(藥名): 약의 이름.

Ⅱ. 어전 회의

6. 승상은 거북 (자진모리)

- 용왕이 회의를 소집하니, 온갖 물고기 신하들이 용왕 앞에 모여 들어온다.

[아니리]

"용왕의 성덕[162]으로 어찌 충의지신[163]이 없사오리까?"

말을 마친 후에 인홀불견[164] 간 곳이 없거날

그제야 용왕이 도사인 줄 짐작허고

공중을 향하여 무수히 사례 후에

수부[165]조정[166] 만조백관[167]을 일시에 모이라 허니

이 세상 같고 보면 일품[168] 재상[169]님네가 들어오련마는

수국이라 물고기 등물[170]들이 각각 벼슬 이름을 맡아 가지고 들어오는데, 이런 가관[171]이 없던 것이었다

162) 성덕(聖德): 임금의 덕을 높여 일컫는 말.
163) 충의지신(忠義之臣): 충성스럽고 의로운 신하.
164) 인홀불견(因忽不見): 언뜻 보이다가 바로 없어져 보이지 아니함.
165) 수부(水府): 물을 맡아 다스린다는 전설 속 신(神)의 궁전. 용궁.
166) 조정(朝廷): 궁궐 안에 있는 임금이 나라의 정치를 의논 또는 집행하는 곳.
167) 만조백관(滿朝百官): 조정의 모든 벼슬아치들.
168) 일품(一品): 문.무관(文武官) 벼슬의 첫째 품계(品階). '품계'는 왕조 때의 벼슬 등급을 말함.
169) 재상(宰相): 임금을 보필하며 모든 관원을 지휘, 감독하는 자리에 있는 2품 이상의 벼슬을 통틀어 이르던 말.
170) 등물(等物): 같은 종류의 물건.
171) 가관(可觀): 구경거리로 될 만함.

[자진모리]

승상[172]은 거북, 승지[173]는 도미

판서[174] 민어[175] 주서[176] 오징어

한림[177] 박대[178] 대사성[179] 도루묵[180]

방첨사[181] 조개, 해운공[182] 방개

병사[183] 청어, 군수[184] 해구,[185] 현감[186] 홍어

조부장[187] 조기, 부변랑청[188] 장대[189]

승대[190] 청다리, 가오리[191]

좌우 나졸,[192] 금군무졸[193]이

상어 솔치[194] 누치[195] 준치[196]

---

172) 승상(丞相): 천자를 보좌하여 천하를 다스리는 중국의 벼슬 이름.
173) 승지(承旨): 왕명을 밖으로 전하고 외부 일을 왕에게 보고하는 벼슬.
174) 판서(判書): 육조(六曹)의 장관 또는 그 직에 있는 사람으로 정2품 벼슬.
175) 민어: 농어목 민어과의 바닷물고기.
176) 주서(注書): 승정원에서 사초(史草) 쓰는 일을 맡아보던 정7품 벼슬.
177) 한림(翰林): 예문관에서 사초(史草) 꾸미는 일을 맡아보던 정9품 벼슬.
178) 박대: 가자미목 참서대과의 바닷물고기.
179) 대사성(大司成): 성균관의 으뜸 벼슬로 정3품.
180) 도루묵: 몸길이 25㎝ 내외. 입이 크며, 몸에 비늘이 없는 바닷물고기.
181) 방첨사(防僉使): 방어사(防禦使). 각 도에 배속되어 병권을 장악하고 요지를 지키게 했던 종2품의 무관 벼슬.
182) 해운공(解運公): 방개가 떠다니는 모습이 배와 같으므로 해운(海運)에서 바다 '해'자와 음이 같은 방개 '해(蟹)'자를 써서 만들어본 말임.
183) 병사(兵使): 병마절도사. 각 지방에 두어 병마를 지휘하던 종2품 무관.
184) 군수(軍帥): 군대의 총사령관.
185) 해구(海狗): 물개.
186) 현감(縣監): 작은 현(縣)에 두었던 벼슬아치.
187) 조부장(曹部將): 오위(五衛)의 종6품 무관 벼슬.
188) 부변랑청: 낭청(郞廳)이라고도 하는, 나라 안팎의 군사 기밀을 맡아 관리하던 종6품 벼슬.
189) 장대: '달강어(達江魚)'의 방언. 성댓과의 바닷물고기.
190) 승대: '성대'의 방언. 몸길이 약 40㎝ 안팎으로 가늘고 길며, 주둥이가 삐쭉함.
191) 가오리: 홍어목에 딸린 바닷물고기의 총칭. 마름모꼴이며 꼬리가 길다.
192) 나졸(邏卒): 포도청의 하급 병졸. 순찰과 죄인을 체포하는 일을 맡았음.
193) 금군무졸(禁軍武卒): 금군은 근위대(近衛隊), 무졸은 하급군인(下級軍人)임.
194) 솔치: '참몰개'의 방언. 몸은 길고 옆으로 납작하며, 주둥이는 짧고 둔함.

멸치, 삼치, 가재, 개구리까지 영을 듣고

어전에 입시[197]하야, 대왕으게 절을 꾸벅꾸벅.

7. 왕이 다시 탄식한다 (중모리)

- 잉어가 토끼 간을 구해 올 신하로 거북이를 추천하니, 신하들이 반대한다.

[아니리]

병든 용왕이 이만허고 보시더니마는

"내가 용왕이 아니라 오뉴월 생선전 도물주[198]가 되었구나.

경네 중에 어느 신하가 세상을 나가 토끼를 구하여다

짐의 병을 구할손가?"

면면상고[199] 묵묵부답[200]이었다

[중모리]

왕이 다시 탄식헌다.

"남의 나라는 충신이 있어서, 할고사군[201] 개자추[202]와

광초망신 기신이난 죽을 임군을 살렸건마는[203]

---

195) 누치: 잉어목 잉어과의 민물고기. 모래나 자갈이 깔린 강바닥 위에서 헤엄침.

196) 준치: 청어과에 속하는 바닷물고기. 연안이나 강어귀 등의 얕은 곳에서 서식함.

197) 어전(御前)에 입시(入侍): 대궐 안에 들어가 임금을 뵘.

198) 도물주(都物主): 물건 파는 사람들에게 밑천을 대어주고 장사를 시키는 우두머리.

199) 면면상고(面面相顧): 아무 말도 없이 서로 얼굴만 바라봄.

200) 묵묵부답(黙黙不答): 입을 다문 채 아무 대답도 없음.

201) 할고사군(割股事君): 개자추가 문공이 조나라에 망명을 가서 있을 때 배고파하는 것을 보고 자신의 허벅지 살을 베어 먹인 일을 말함.

202) 개자추(价子推): 중국 춘추시대의 은자(隱者). 진(晉)나라 문공이 왕위에 오르기 전에 아버지 헌공(獻公)에게 추방되었을 때, 19년을 모시며 같이 망명생활 하였음.

203) 광초망신 기신(狂楚亡身 紀臣)이난 죽을 임군을 살렸건마는: 한나라 고조 때의 충

우리나라도 충신이 있으련마는, 어느 누구가 날 살리리오?"

정언[204] 잉어가 여짜오되

"승상 거북이 어떠하뇨?"

"승상 거북은 지략[205]이 넓사옵고

복판[206]이 모두 다 대몬고로[207]

세상에를 나가오면 인간들이 잡어다가 복판 떼어

대모장도,[208] 밀이개 살짝,[209] 탕건[210] 묘또기[211]

쥘쌈지[212] 끈까지 대모가 아니면은 헐 줄을 모르니

보내지를 못허리다."

신 기신이 유방이 하남성에서 초나라 항우에게 포위당했을 때, 여자들에게 갑옷을 입혀 뒤를 따르게 하고, 자신은 임금의 수레를 타고 성 밖으로 나가 임금을 대신해서 죽고 피신시킨 일을 말함.

204) 정언(正言): 국가 행정을 총괄하는 중서문하성(中書門下省)에서 조칙(詔勅)을 심의하고 왕에게 간하여 잘못을 바로 잡게 하는 간쟁을 맡아보던 낭사(郞舍)로서, 봉박(封駁)과 간쟁(諫諍)을 담당한 관직.

205) 지략(智略): 슬기로운 계략. 슬기와 꾀.

206) 복판: 일정한 공간이나 사물의 한 가운데. 여기서는'등 껍데기'를 말함.

207) 대몬고로: 대모(玳瑁)인고로. '대모'는 거북의 등딱지로, 장식품 공예품의 고급재료로 쓰임.

208) 대모장도(玳瑁粧刀): 대모로 손잡이와 칼집을 만든 장도, '장도'는 주머니나 옷고름에 늘 차고 다니면서 주머니칼처럼 쓰는 칼집이 있는 작은 칼을 말함.

209) 밀이개 살짝: 살쩍밀이. 망건 쓸 때 살쩍을 망건 밑으로 밀어 넣는 데에 쓰는 도구.

210) 탕건(宕巾): 말총으로 앞은 낮고 뒤는 높아 턱이 지게 만들어, 벼슬아치가 갓 아래에 쓰던 관.

211) 묘또기: 탕건의 돌출된 부분에 붙이는 장식품.

212) 쥘쌈지: 옷소매나 호주머니에 넣을 수 있도록 헝겊으로 만든 담배쌈지.

8. 방첨사 조개가 어떠헌고? (중중모리)
- 용왕이 조개를 추천하자, 잉어가 안되는 이유를 말한다.

[아니리]

"그럼,"

[중중모리]

"방첨사 조개가 어떠헌고?"

"방첨사 조개는 철갑[213]이 굳고

방신지도[214]난 좋사와도

옛 글에 이르기를

관방휼지세허고 좌수어인지공이라.[215]

휼조라는 새가 있어서 수루루루 펄펄 날아들어

휼조난 조개를 물고, 조개는 휼조를 물고

서로 놓지를 못할 적에

어부으게 모두 다 잽히여 속절이 없이 죽을 것이니

보내지는 못허리다."

---

213) 철갑(鐵甲): 쇠붙이를 겉에 붙여 지은 갑옷.
214) 방신지도(防身之道): 제 몸을 지키는 방법.
215) 관방휼지세(觀蚌鷸之勢)허고 좌수어인지공(坐收漁人之公)이라: 휼조(鷸鳥), 곧 도요새와 조개가 서로 물고 놓지 않으며 싸우는 것을 보고 어부가 가만히 앉아서 손쉽게 둘 다 잡는다는 뜻.

9. 정언이 여짜오되 (자진모리)

- 용왕이 메기를 추천하자 신하들이 반대한다.

[아니리]

“그럼 수문장[216] 미어기[217]가 어떠헌고?”

[자진모리]

정언이 여짜오되

“미어기난 장수구대허여 호풍신허거니와[218]

아가리[219]가 너무 커서 식량이 너룬고로[220]

세상을 올라가면 요기감[221]을 얻으랴고

조그만한 산천수 이리저리 다니다

사립[222] 쓴 어옹[223]들이 사풍세우불수귀라[224]

입갑[225] 꿰어 물에 풍덩

탐식[226]으로 덜컥 생켜[227] 단불요대[228] 죽게 되면

---

216) 수문장(守門將): 대궐 문이나 성문을 지키던 장수.

217) 미어기: ‘메기’의 방언. 메기과에 속하는 민물고기.

218) 장수구대(長鬚口大)허여 호풍신(好風身)허거니와: 수염이 길고 입이 커서 풍채는 좋거니와.

219) 아가리: ‘입’의 속어.

220) 너룬고로: 넓기 때문에.

221) 요기(療飢)감: 시장기를 면할 재료.

222) 사립(簑笠): 도롱이와 삿갓.

223) 어옹(漁翁): 고기잡이하는 노인.

224) 사풍세우불수귀(斜風細雨不須歸)라: ‘스쳐 가는 바람과 가랑비 속에서 어부가 세월을 잊고 돌아갈 줄을 모른다.’ 당나라 시인 장지화(張志和)가 쓴 「어부(漁夫)」의 한 구절.

225) 입갑: ‘미끼’의 경상도 방언.

226) 탐식(貪食): 음식을 탐냄.

227) 생켜: ‘삼켜’의 방언.

인간의 이질,[229] 복질,[230] 설사, 배앓이[231] 허는디
약으로 먹사오니 보내지는 못허리다.”

10. 신의 고향 세상이요 (중중모리)
- 방게가 세상에 나가 토끼를 잡아오겠다고 자원한다.

[아니리]

해운공[232] 방게[233]란 놈이 열 발을 쫙 벌리고
살살 기어 들어와 여짜오되

[중중모리]

“신[234]의 고향 세상이요. 신의 고향은 세상이라.
청림벽계산천수[235] 가만히 잠신[236]하야
천봉만학[237]을 바라보니
산중퇴 · 월중퇴[238] 안면[239]이 있사오니

---

228) 단불요대(斷不饒貸): ‘결단코 용서하지 않음’의 뜻인데, 여기서는 ‘단숨에 꼼짝없이’라는 뜻으로 쓰였음.
229) 이질(痢疾): 뒤가 잦으며 곱똥이 나오는 병. 피가 섞여 나오는 것을 적리(赤痢), 흰 곱만 나오는 것을 백리(白痢)라 함.
230) 복질(腹疾): 배앓이 병. 설사가 나는 병
231) 배앓이: 설사가 나는 병.
232) 해운공(蟹運公): 방게가 떠다니는 모습이 배와 같으므로, 바다에서 배로 사람이나 물건을 운반한다는 말인 해운(海運)에서, 바다‘해’자와 음이 같은 방게‘해’자를 써서 말의 재미를 부린 표현.
233) 방게: 절지동물 십각목(十脚目) 바위게과의 한 종. 껍데기는 네모꼴로 암녹색.
234) 신(臣): 신하(臣下). 신하가 임금에게 대하여 쓰는 제 1인칭 대명사.
235) 청림벽계산천수(靑林碧溪山川水): 푸른 숲속의 푸른 계곡에 흐르는 산골의 물.
236) 잠신(潛身): 몸을 감추어 나타내지 아니함. 피하여 몸을 숨김.
237) 천봉만학(千峰萬壑): 수많은 산봉우리와 산골짜기.
238) 산중퇴·월중퇴(山中褪·月中褪): 산 속에 있는 토끼와 달 속에 있는 토끼.

소신[240]의 엄지발로 토끼놈에 가는 허리를

바드드드 드으득 집어다가 대왕전 바치리다."

11. 영덕전 뒤로 (진양조)

- 신하들의 의견이 뒤숭숭할 때, 별주부가 회의 장소에 들어온다.

[아니리]

"어찌 저놈이 저러고도 신이라 헐 수 있겠느냐!

두 엄지발을 뚝 떼어 밖으로 내 쫓아라!"

공론[241]이 분분[242]헐제

[진양조]

영덕전[243] 뒤로 한 신하가 들어온다

은목단족[244]이요, 장경오훼[245]로다

홍배 등[246]에다 방패[247]를 지고

앙금앙금[248] 기어 들어와서 국궁재배[249]를 허는구나.

---

239) 안면(顔面): 서로 얼굴이나 알 정도의 친분.
240) 소신(小臣): 신하가 임금에게 대하여 '자기'를 낮추어 일컫는 말.
241) 공론(公論): 여럿이 모여서 의논하는 것, 또는 그 의논.
242) 분분(紛紛): 여러 가지로 의견이 다름.
243) 영덕전(靈德殿): 남해 용왕인 광리왕(廣利王)이 지었다는 궁전. 명나라 사람 구우가 지은 『전등신화』의 「수궁경회록」 편에 나옴.
244) 은목단족(隱目短足): 눈이 크지 않고 다리가 짧음.
245) 장경오훼(長頸烏喙): 목이 길고 입이 까마귀의 부리처럼 뾰족한 인상(人相).
246) 홍배(紅背) 등: 호흉배(虎胸背)를 단 등. '호흉배'는 호랑이를 수놓아 무관 관복의 배와 등에 붙이던 천 조각으로 당상관은 쌍호(雙虎), 당하관은 단호(單虎)였음. 문관은 학을 수놓았음.
247) 방패(方牌): 관청에 출입하는 사람이 허리에 차던 네모진 나무패. 자라의 등껍질을 비유적으로 표현한 것.

248) 앙금앙금: 잔걸음으로 느리게 걷거나 기는 모양.
249) 국궁재배(鞠躬再拜): 존경하는 마음으로 몸을 굽혀 공손히 두 번 절함.

Ⅲ. 자라, 육지세상으로

12. 화공을 불러라 (중중모리)

- 별주부 자라가 스스로 자원하여 토끼 간을 구해오겠다고 하면서, 토끼 얼굴을 그려달라고 왕에게 청하니, 용왕이 화공을 불러 토끼 얼굴을 그려준다.

[아니리]

왕에게 상소[250]를 올리거날

왕이 받어 보시고 칭찬허시되

"니 충심은 내 이미 알았지마는

니가 세상을 나가면 인간의 진미[251]가 될 터이니,

너를 보내고 내 어찌 안심할 손가?"

별주부 여짜오되

"소신이 비록 재주는 없사오나, 강상[252]의 높이 떠

망보기를 잘하오니 무슨 봉패[253] 있사오리까마는

수국의 소생[254]이라 토끼 얼굴을 모르오니

화상[255]이나 한 장 그려주옵소서."

"글랑[256]은 그리 허여라. 여봐라! 화공[257]을 불러라!"

---

250) 상소(上疏): 임금에게 글을 올리는 것 또는 그 글.
251) 진미(珍味): 아주 좋은 맛. 매우 맛이 좋은 음식물.
252) 강상(江上): 강의 위. 강의 기슭.
253) 봉패(逢敗): 폐해(弊害)를 당하는 일. '폐해'는 (어떤 일이나 행동에서 나타나는) 옳지 못 한 경험이나 해로운 현상과 손해를 말함.
254) 소생(小生): 흔히 웃어른 앞에서, '자기'를 낮추어 이르는 말.
255) 화상(畵像): 그림으로 그린 초상(肖像).
256) 글랑: '그것일랑'의 준말
257) 화공(畵工): 그림 그리는 일을 업으로 하는 사람.

[중중모리]

"화공을 불러라."

화공을 불러 들여 토끼 화상을 그린다.

동정 유리 청홍연[258] 금수추파[259] 거북 연적[260]

오징어로 먹 갈어 양두화필[261]을 덤뻑[262] 풀어

단청채색[263]을 두루 묻히어서 이리저리 그린다.

천하명산 승지강산[264] 경개[265] 보던 눈 그리고

봉래 방장 운무 중[266]에 내[267] 잘 맡던 코 그리고

난초 지초[268] 왼갖 향초[269] 꽃 따 먹던 입 그리고

두견 앵무 지지 울 제 소리 듣던 귀 그리고

만화방창[270]화림중[271] 펄펄 뛰던 발 그리고

대한[272] 엄동[273] 설한풍[274] 어한허던[275] 털 그리고

---

258) 동정 유리 청홍연(洞庭 琉璃 靑紅硯): 중국 호남성 북부에 있는 동정호의 유리창(琉璃廠)에서 나는 푸른빛과 붉은 빛이 감도는 고운 벼루.
259) 금수추파(錦水秋波): 비단처럼 고운 가을 물결.'금수추파를 담은'으로 해야 맞는 표현임.
260) 거북(硯滴): 거북 모양의 연적. '연적'은 벼룻물을 담는 그릇을 말함.
261) 양두화필(兩頭畵筆): 양쪽에 털이 달린 그림 붓.
262) 덤뻑: 앞뒤를 헤아리지 않고 무턱대고 하는 모양.
263) 단청채색(丹靑彩色): 푸르고 붉은 여러 가지 고운 빛깔.
264) 천하명산 승지강산(天下名山 勝地江山): 온 세상의 이름난 산과, 경치 좋은 강과 산.
265) 경개(景槪): 경치(景致). 산이나 물 따위 자연의 모습.
266) 봉래 방장 운무중(蓬萊 方丈 雲霧中): 중국에서 가상적으로 지은 삼신산(三神山) 중, 봉래산과 방장산에 덮인 구름과 안개 속.
267) 내: '냄새'의 방언.
268) 난초(芝草): 지칫과의 다년초. 흰 꽃이 피고 약재와 물감으로 쓰임. 뿌리는 자줏빛이며, 굵음.
269) 향초(香草): 향기로운 풀.
270) 만화방창(萬化方暢): '봄이 되어 만물이 한창 자라남'을 이르는 말.
271) 화림중(花林中): 꽃나무의 숲 속.
272) 대한(大寒): 24절기의 하나. 소한과 입춘사이로, 양력 1월 21일경을 말함.
273) 엄동(嚴冬): 몹시 추운 겨울.

두 귀난 쫑긋, 눈은 도리도리

허리난 늘씬, 꽁댕이 묘똑

좌편 청산이요, 우편은 녹순데

녹수청산[276]으 애굽은 장송[277]

휘늘어진 양류수[278] 들랑날랑 오락가락

앙그주춤[279] 기난 토끼

산중퇴 얼풋 그려 아미산월의 반륜퇴[280]

이어서 더할소냐?

“아나, 엿다![281] 별주부야. 니가 가지고 나가거라.”

13. 여봐라 주부야 (진양조)

- 별주부가 용왕께 인사하고 집으로 들어가니, 모친이 울면서 가지 말라고 반대한다.

[아니리]

별주부가 화상을 받아들고 곰곰이 생각을 허니

“어데다 넣어야 물 한 점이 안 묻을까?”

---

274) 설한풍(雪寒風): 눈과 함께 휘몰아치는 차고 매서운 바람.
275) 어한(禦寒)허든: 추위를 막아주는. 추위에 언 몸을 녹여주는.
276) 녹수청산(綠水青山): 푸른 물과 푸른 산.
277) 장송(長松): 키가 훤칠하게 큰 소나무.
278) 양류수(楊柳樹): 버드나무.
279) 앙그주춤: 엉거주춤. 앉은 것도, 선 것도 아닌 어정쩡한 자세로 주춤거리는 모양.
280) 아미산월(蛾眉山月)의 반륜퇴(半輪兎): 아미산 위에 뜬 반달 속에 보이는 토끼. ‘아미산’은 중국 4대 명산중의 하나로서 사천성 서부에 있는 눈썹처럼 생긴 높은 산임. 이 구절은 이백이 쓴 「아미산월가(蛾眉山月歌)」의 첫 구절로, 원문은 아미산월반륜추(蛾眉山月半輪秋)으로 ‘아미산 달이 반원이 된 가을’임.
281) 엿다: ‘여기 있다.’라는 뜻.

한 꾀를 얼른 내어 목을 길게 빼고
목덜미에다 화상을 탁! 집어넣고 목을 움츠려노니
저 막통창사[282]까지 닿것다.
“이만허면 수로 만리를 다녀와도
물 한 점 묻을 길이 바이 없제.”
용왕께 하직허고 저으 집[283]으로 돌아오니
별주부 모친이 별주부 세상 간다는 말을 듣고
못 가게 만류를 허시는디

[진양조]

“여봐라 주부야. 여봐라 주부야.
니가 세상을 간다 허니, 무엇허러 가랴느냐?
삼대독자[284] 니 아니냐?
장탄식 병이 든들[285] 뉘 알뜰히 구환[286]허며
니 몸이 죽어져서, 오연[287]의 밥이 된들
뉘라 손뼉을 뚜다리며
후여 쳐 날려줄 이가 뉘 있드라는 말이냐?
가지 마라, 주부야. 가지를 말라면 가지 마라!
세상이라 허는 디는

---

282) 막통창사: 신체 장기 중 맹장.
283) 저으 집: 자기 집.
284) 삼대독자(三代獨子): 삼대에 걸쳐서 형제가 없는 외아들.
285) 장탄식 병(長歎息 病)이 든들: 긴 한숨을 내쉬며 탄식하다가 중병이 든들.
286) 구환(救患): 어려움에서 구함.
287) 오연(烏鳶): 까마귀와 솔개.

수궁인갑[288]이 얼른허면[289] 잡기로만 위주[290]를 헌다.

옛날에 너의 부친도 세상 구경을 가시더니

십리사장[291] 모래 속에 속절이 없이[292] 죽었단다.

못 가느니라, 못 가느니라!

나를 죽여 이 자리에다 묻고 가면 니가 세상을 가지마는

살려두고는 못 가느니라, 주부야.

위방불입[293]이니 가지를 마라."

14. 여보 나리 (중중모리)

- 별주부 자라가 자기 부인에게 작별 인사를 하고, 자기 모친을 부탁한다.

[아니리]

"나라에 환후[294]가 있어서 약을 구하러 가는디

무슨 봉폐 있사오리까?"

별주부 모친이 허는 말이

"내 자식 충심은 내 이미 알었지마는

니가 세상을 간다 허기로

니 지기[295]를 보기 위허여 만류를 허였구나.

---

288) 수중인갑(水中鱗甲): 물속에 사는 어류와 갑각류를 아울러 이르는 말.
289) 얼른허면: 언뜻하면. 무슨 사물이 눈앞에 잠깐 나타나기만 하면.
290) 위주(爲主): 주되는 것으로 삼는 것. 주장으로 삼는 일.
291) 십리사장(十里沙場): 길이가 십리나 되는 모래밭.
292) 속절이 없이: 아무리 하여도 별도리가 없이.
293) 위방불입(危邦不入): 『논어』의 「태백(太白)」편에 나오는 말로, '위험한 곳에는 들어 가지 아니함'을 이르는 말.
294) 환후(患候): 웃어른의 병을 높이어 이르는 말.
295) 지기(志氣): 어떤 일을 이루려고 하는 뜻과 아주 뛰어난 재주.

그럼, 수로 만리를 무사히 다녀오도록 허여라."
별주부 모친께 하직허고 침실로 돌아와 부인의 손길 잡고
“당상[296]의 학발[297] 모친 기체[298] 평안[299]허시기는
부인에게 매였소.“

[창조]

별주부 마누라가 아장거리고 나오더니

[중중모리]

“여보 나리, 여보 나리.
세상 간단 말이 웬 말이요?
위수[300]파광[301] 깊은 물에 양주[302] 마주 떠
맛좋은 흥미 보던 일을
이제는 다 버리고 만리 청산 가신다니
인제 가면 언제 와요?”
“가기는 가되 못 잊고 가는 것이 있네.”
“무엇을 그다지 못 잊어요?
당상 학발 늙은 모친 조석공대[303]를 못 잊어요?

---

296) 당상(堂上): 조부모나 부모가 거처하는 곳.
297) 학발(鶴髮): 학의 깃처럼 머리가 하얗게 센 늙은 부모.
298) 기체(氣體): ‘기력과 체력’의 뜻으로, 웃어른에게 안부를 물을 때 쓰는 말.
299) 평안(平安): 무사하여 마음에 걱정이 없음.
300) 위수(渭水): 중국 웨이수이 분지를 동서방향으로 흐르는 황하(黃河)의 큰 지류.
301) 파광(波光): 물결의 반작이는 빛.
302) 양주(兩主): 바깥주인과 안주인이라는 뜻으로, ‘부부(夫婦)’를 이르는 말.
303) 조석공대(朝夕恭待): 아침 저녁으로 공손히 대접함.

군신유의[304] 장한 충성 조정사직[305]을 못 잊어요?
규중[306]의 젊은 아내 절행지사[307]를 못 잊어요?"

15. 고고천변일륜홍 (중중모리)
- 별주부 자라가 육지 세상에 나가 보니 경치의 아름다움을 느낀다.

[아니리]
"그 말은 방불[308]허나 뒷 집 진털밭 남생이[309]가 흠일세."
총총히 작별허고 수정문 밖 썩 나서서
세상 경개를 살피고 나오는디 경치가 장히 좋던가 보더라.

[중중모리]
고고천변일륜홍[310] 부상[311]의 높이 떠
양곡[312]의 잦은 안개 월봉[313]으로 돌고 돌아
예장촌[314] 개 짖고, 회안봉[315] 구름이 떴구나

---

304) 군신유의(君臣有義): 오륜(五倫)의 하나. 임금과 신하의 도리(道理)는 의리(義理)에 있음.
305) 조정사직(朝廷社稷): 궁궐에서 임금이 나라의 정치를 의논 또는 집행하는 곳.
306) 규중(閨中): 부녀자가 거처하는 방.
307) 절행지사(節行之事): 절개를 지키는 행동.
308) 방불(髣髴): 그럴듯하게 비슷함.
309) 남생이: 거북목 남생잇과의 파충류. 잡식성으로 물고기.
310) 고고천변일륜홍(皐皐天邊日輪紅): 동틀 무렵 하늘가에 떠 있는 붉은 해.
311) 부상(扶桑): 중국 전설에서, 동쪽 바다의 해가 뜨는 곳에 있다는 상상(想像)의 나무.
312) 양곡(洋谷): 해가 돋는 동쪽 끝에 있다는 상상의 지역으로, '해가 돋는 곳'을 이르는 말.
313) 월봉(月峯): 달이 돋는 산봉우리. 모든 산마다 제일 높은 봉우리를 말함.
314) 예장촌(豫章村): 중국 회남과 강북의 경계가 있는 마을.
315) 회안봉(迴雁峰): 중국 호남성에 있는 형산(衡山)의 72 봉우리 가운데 으뜸가는 봉우리.

노화난 다 눈 되고,[316] 부평[317]은 물에 둥실

어룡[318]은 잠자고, 자교새[319]는 훨훨 날아든다

동정여천으 파시추 금수추파가 여그라[320]

앞발로 벽파[321]를 찍어 당겨, 뒷발로 창랑[322]을 탕탕

요리 저리 저리 요리

앙금 둥실 떠 사면을 바라보니

지광[323]은 칠백 리, 파광은 천일색[324]인디

천외무산의 십이봉[325]은 구름 밖으 가 멀고

해외 소상[326]은 일천 리 눈 앞의 경개로다

오초난 어이하야 동남으로 벌여있고

건곤은 어이하야 일야에 둥실 떠[327]

남훈전[328] 달 밝은디 오현금[329]도 끊어지고

---

316) 노화(蘆花)난 다 눈 되고: '노화'는 갈대꽃, 갈대꽃이 눈처럼 흩날리는 모양을 표현한 구절.

317) 부평(浮萍): 개구리밥과에 속하는 다년생풀. 물에 떠서 살며, 아래쪽에 수염뿌리가 많음.

318) 어룡(魚龍): 물 속에 사는 동물을 통틀어 이르는 말.

319) 자교새: 꿩과에 속하며, 모양은 메추라기와 비슷하나 조금 큼.

320) 동정여천(洞庭如天)에 파시추(波始秋) 금수추파(錦水秋波)가 여그라: 하늘처럼 넓고 맑은 동정호의 물결이 비로소 가을을 알리어 비단처럼 고운 가을 물결이 여기라.

321) 벽파(碧波): 짙푸른 물결. 푸른 파도.

322) 창랑(滄浪): 넓고 큰 바다의 푸른 물결.

323) 지광(地廣): 땅의 넓이.

324) 파광(波光)은 천일색(天一色): 물결의 반짝이는 빛은 하늘과 같은 색.

325) 천외무산(天外巫山)의 십이봉(十二峯): 하늘 밖으로 높이 솟은 무산의 열두 봉우리.

326) 해외 소상(海外 蕭湘): 바다 멀리까지 뻗은 소상강.

327) 오초(吳楚)는 어이하야 동남(東南)으로 벌여있고, 건곤(乾坤)은 어이하야 일야(日夜)에 둥실 떠: '(동정호를 중심으로) 오나라와 초나라는 동남쪽으로 나뉘어 있고, (호수에는) 이 세상이 밤낮없이 그림자를 드리우고 있다.' 두보가 쓴 「등악양루(登岳陽樓)」의 한 구절로, 원문은 오초동남탁 건곤일야부(吳楚東南托乾坤日夜浮)임.

328) 남훈전(南薰殿): 순(舜)임금이 정사를 보던 궁전.

329) 오현금(五絃琴): 다섯 줄로 되어 있는 옛날 거문고의 한 가지. 중국 순임금이 처음으로 만들었다 함.

낙포[330]로 둥둥 가는 저 배

조각달 무관수[331]의 초회왕의 원혼이요[332]

모래 속에 가 잠신하야 천봉만학을 바라보니

만경대[333] 구름 속 학선[334]이 울어 있고

칠보산[335] 비로봉[336]은 허공에 솟아

계산파무울차아[337] 산은 칭칭칭 높고

경수무풍으야자파[338] 물은 풍풍 깊고

만산[339]은 우루루루루루

국화는 점점,[340] 낙화[341]는 동동[342]

장송은 낙락,[343] 늘어진 잡목[344]

펑퍼진 떡갈, 다래몽동[345]

---

330) 낙포(洛浦): 낙수 강가에 있는 포구.
331) 무관수(武關囚): 무관에 갇힌 사람.
332) 초회왕(礎瀤王)의 원혼(冤魂)이요: 초회왕은 진나라 소왕(昭王)이 무관에서 만나자는 말을 믿고 갔다가 그곳에서 잡혀 돌아오지 못하고 원통하게 죽었다는 고사에서 나온 말.
333) 만경대(萬景臺): 온갖 경치를 다 바라볼 수 있는 누대(樓臺).
334) 학선(鶴仙): 신선이 타고 다닌다는 학.
335) 칠보산(七寶山): 중국 안휘성(安徽省) 무위현에 있는 험준하고 웅장한 산.
336) 비로봉(秘盧峰): 칠보산의 한 봉우리 이름인 듯한. 확실히는 알 수 없음.
337) 계산파무울차아(稽山罷霧鬱嵯峨): 안개가 걷히니 계산이 더욱 높아 보인다. 당나라 시인 하지장의 「채련곡(採蓮曲)」 중의 일절.
338) 계산파무울차(稽山罷霧鬱嵯) 산은 칭칭칭 높고 경수무풍야자파(鏡水無風也自波): '층층히 솟은 계산은 안개가 걷히니 더욱 높이 보이고, 거울같이 맑은 물은 바람이 불지 않아도 물결이 절로 인다' 하지장(賀智章)이 지은「채련곡(採蓮曲)」중 한 구절.
339) 만산(滿山): 온 산에 가득 참.
340) 점점(點點): 점을 찍은 듯이 여기저기 하나씩 흩어져 있는 모양.
341) 낙화(洛花): '모란'을 달리 이르는 말.
342) 동동: 동실동실. 작은 물건이 떠서 가볍게 움직이는 모양.
343) 낙락(落落): 나뭇가지가 휘늘어진 모양.
344) 잡목(雜木): 요긴하게 쓰이지 못할 여러 가지 나무.
345) 다래몽동: 몽똑한 다래 열매.

칡넝쿨,[346] 머루, 다래[347]

으름[348] 넌출[349] 능수버들, 벚낭기[350]

오미자, 치자,[351] 감, 대추

갖은 과목 얼크러지고 뒤틀어져서

구부 칭칭 감겼다.

어선은 돌아들고, 백구[352]난 분비[353]

갈매기, 해오리,[354] 목파리, 원앙새

강상 두루미, 수많은 떼 꿩이

소천자 기관허던[355] 만수문전의 봉황새

양양창파점점동[356] 사랑허다고 원앙새

칠월 칠석 은하수 다리 놓던 오작이[357]

목포리, 해오리, 너새,[358] 징경새[359]

아옥 따옥 이리저리 날아들 제

---

346) 칡넝쿨: 칡덩쿨. 칡의 뻗은 넝쿨.
347) 다래: 다래나무의 열매. 가을에 황녹색으로 익으며, 한방에서 열매를 말리어 약재로 씀.
348) 으름: 으름덩굴의 열매. 가을에 자갈색으로 익어 벌어지며, 타원형의 삭과(蒴果)로 맛이 좋음.
349) 넌출: 길게 뻗어 나가 늘어진 식물의 줄기.
350) 벚낭기: '벚나무'의 방언. 장미과의 낙엽 활엽 교목
351) 치자(梔子): 한방에서 '치자나무의 열매'를 약재로 이르는 말.
352) 백구(白鷗): 갈매기.
353) 분비(奔飛): 이리저리 날고.
354) 해오리: '해오라기'의 준말. 백로과에 속하며, 몸은 뚱뚱하고 다리가 짧음.
355) 소천자 기관(小天子 紀官)허든: '소천자'가 벼슬 이름에 새 이름을 붙이던 때와 같은 태평한 시절의' 의미임.
356) 양양창파점점동(洋洋滄波點點動): 넓은 바다 물결에 점점이 떠서 움직임.
357) 오작(烏鵲)이: 까마귀와 까치.
358) 너새: 느시. 느싯과의 새로, 기러기와 비슷하나 몸이 크며 부리가 짧음.
359) 징경새: 물수리라고도 하는데, 몸의 윗면은 검은 갈색이고 아랫면은 흰색임. 좁고 긴 날개와 짧은 꽁지, 흰색머리 꼭대기가 돋보임. 바다, 강 등지에서 물고기를 잡아 먹고 삶.

또 한 경개를 바라보니 치어다보니 만학천봉[360]이요

내려 굽어보니 백사지[361]라.

에구부러진[362] 늙은 장송 광풍[363]을 못 이기여

우줄우줄 춤을 출 제

시내 유수난 청산으로 돌고

이 골 물이 주루루루루루, 저 골 물이 콸콸

열에 열두 골물이 한 데로 합수쳐

천방져 지방져 월턱져 구부져,[364] 방울이 버큼져

건너 병풍석[365]에다 마주 꽝꽝 마주 때려

대해수중[366]으로 내려가느라고 버큼이 북쩍[367]

울렁거려 뒤틀어 워르르르르 껄껄 뒤둥그러져[368]

산이 울렁거려[369] 떠나간다. 어디 메로 가잔 말

아마도 예로구나! 요런 경개가 또 있나?

아마도 예로구나! 요런 경개가 또 있나?

---

360) 만학천봉(萬壑千峰): 첩첩이 겹쳐진 깊고 큰 골짜기와 수많은 산봉우리.
361) 백사지(白沙地): 흰 모래가 깔려 있는 땅.
362) 에구부러진: 약간 휘우듬하게 구부러진.
363) 광풍(狂風): 휘몰아치는 사나운 바람.
364) 천방져 지방져 월턱져 구부져: 천방지축으로 턱을 넘고 굽이쳐.
365) 병풍석(屛風石): 능(陵)을 보호하기 위해 둘레에 병풍처럼 둘러 세운 돌들.
366) 대해수중(大海水中): 큰 바다 물 가운데.
367) 버큼이 북쩍: 거품이 끓어오르는 모양을 표현한 것. '버큼'은 '거품'의 방언.
368) 뒤둥그러져: 뒤틀려서 마구 우그러져.
369) 울렁거려: 물 속에 비친 산 그림자가 물결에 자꾸 흔들리는 모양을 표현한 것.

Ⅳ. 날짐생의 상좌 다툼

16. 이 내 말을 들어봐라 (단중모리)
- 별주부 자라가 한 곳을 바라보니 온갖 날짐승들이 모여 상좌 다툼을 한다.

[아니리]

자라가 음침경[370]에 기어올라 사면을 살펴보니

왼갖 날짐생[371]들이 모여앉어 상좌[372]다툼을 허는디

이런 가관이 없던 것이었다. 봉황새[373] 척 나앉더니 마는

[단중모리]

"이 내 말을 들어봐라.

순임금[374] 남훈전[375]에 오현금 가지시고 소소구성[376] 노래헐 제

공산[377] 높은 봉 아침볕에 내가 가서 울음을 우니

팔백 년 문물[378]이 울울허여[379]

주 문무[380] 나 계시고

만고대성 공부자[381]도 내 앞에서 탄생허니

---

370) 음침경(陰沈境): 으슥한 곳.
371) 날짐생: 날짐승. 날아다니는 짐승, 곧 새 종류를 통틀어 이르는 말. 비금(飛禽). 비조(飛鳥).
372) 상좌(上座): 윗자리, 또는 높은 자리.
373) 봉황(鳳凰)새: 고대 중국의 전설에 나오는 서조(瑞鳥). 수컷은 봉(鳳). 암컷은 황(凰)이라고 함.
374) 순(舜)임금: 고대 중국의 전설적인 성군(聖君)으로 5제(帝)의 한사람.
375) 남훈전(南薰殿): 순임금이 정사를 보던 궁전.
376) 소소구성(簫韶九成): 순임금의 음악인 소소를 아홉 번 연주함.
377) 공산(空山): 사람이 없는 산중.
378) 문물(文物): 법률, 학문, 예술, 종교 따위 문화의 산물. 규문(奎文).
379) 울울(鬱鬱)허여: 매우 무성하여 또는 매우 번창하여.
380) 주 문무(周 文武): 주나라의 문왕과 무왕.
381) 만고대성 공부자(萬古大聖 孔夫子): 세상에 다시 없을만한 대성인 공자.

천 길이나 높이 날아 기불탁속[382]허여 있고
영주산 석상오동[383] 기엄기엄 기어올라
소상오죽[384] 좋은 열매 내 양식을 삼었으니
내가 어른이 아니시냐?"

17. 내 근본 들어라 (엇중모리)
- 까마귀와 봉황새가 서로 상좌에 앉으려고 다툰다.

[아니리]
까마귀 왈
"너는 대가리[385] 크고, 털 덥수룩헌[386] 놈이
어디로 상좌 한단 말이냐?"
봉황새 꾸짖어 왈
"너는 전신[387]에 흰 점 없고, 두 눈이 검은 창 뿐인 놈이
어디로 상좌 한단 말이냐?"
까마귀 왈

382) 기불탁속(飢不啄粟): 배가 고파도 곡식을 먹지 않음.
383) 석상오동(石上梧桐): 돌 위에 오동나무.
384) 소상오죽(蕭湘烏竹): 중국 소상강 가에서 나는 오죽.
385) 대가리: '머리'의 속된말.
386) 덥수룩헌: 더부룩하게 많이 난 수염이나 머리털이 어수선하게 덮여 있는.
387) 전신(全身): 온 몸. 몸 전체.

[엇중모리]

"내 근본 들어라. 이 내 근본을 들어 봐라.

이 주둥이 길기난 월왕 구천[388]이 방불허고[389]

이 몸이 검기난, 산음[390]땅 지내다가 왕희지[391] 세연지[392]

풍덩 빠져 먹물 들어, 이 몸이 검어 있고

은하수 삼긴 후에 그 물에 다리를 놓아

견우 직녀 건너주고 오난 길에

적벽강[393] 선유[394]헐 제

남비[395] 둥둥 떠 삼국흥망[396]을 의논헐 제

천하에 반포은[397]을 내 홀로 알았으니

천하에 비금주수[398] 효자는 나뿐인가

아 아이고, 설움이야

어 아이고, 설움이야

에에 이이이 설움이야."

---

388) 월왕 구천(越王 句踐): 중국 춘추 전국시대의 월(越)나라 임금은 구천.
389) 방불(髣髴)허고: 그럴듯하게 비슷하고.
390) 산음(山陰): 중국 절강성 소흥현.
391) 왕희지(王羲之): 중국 동진(東晉)의 서예가(307~365)로, 자는 일소(逸少), 벼슬은 우군장군(右軍將軍)을 지냈으며, 서체(書體)를 예술적 완성의 영역까지 끌어올려 서성(書聖)이라 불림.
392) 세연지(洗硯池): 왕희지가 벼루를 씻은 연못. 글씨 공부를 열심히 하여 연못이 먹물처럼 검게 변했다 함.
393) 적벽강(赤壁江): 중국 호북성 황강현에 있는 양자강 상류.
394) 선유(船遊): 뱃놀이.
395) 남비(南飛): 남쪽으로 날아감. 조조가 지은「단가행」에 나오는 말로, 원문은 오작남비(烏鵲南飛) '까마귀와 까치는 남쪽으로 날아간다'임.
396) 삼국흥망(三國興亡): 위·오·촉 세 나라의 흥망.
397) 반포은(反哺恩): 새끼 까마귀가 자란 뒤 어미에게 은혜를 생각해서 먹이를 물어다 주는 일.
398) 비금주수(飛禽走獸): 날짐승과 길짐승 즉, 모든 동물을 말함.

18. 부엉이 허허 웃고 (자진모리)
- 까마귀와 부엉이가 서로 상좌에 앉으려고 다툰다.

[자진모리]

부엉이 허허 웃고
“니 암만 그런대도, 니 심정[399] 불칙[400]하야
열 두 가지 울음을 울어
과부집 남기[401] 앉어 울음을 울어 동요[402]헐 제
까옥까옥 또락또락 괴이한 음성으로 수절과부 유인헐 제
니 소리 ‘꽉꽉’ 나면
세상 인간이 미워라 돌을 들어 날리며
너 나자[403] 배 떨어지니
세상에 미운 놈은 너 밖으 또 있느냐?
빈 터에나 찾어가지 이 좌석은 불길허다.”

399) 심정(心情): 마음의 정황(情況). 마음의 품은 생각과 감정.
400) 불칙(不則): 짐작하기 어려움. 마음보가 음흉함.
401) 남기: ‘나무’의 방언.
402) 동요(動搖): 흔들려서 움직임.
403) 너 나자: 네가 날자.

V. 길짐승의 상좌 다툼

19. 공부자 작춘추에 (중모리)

- 별주부가 또 한 곳을 바라보니 온갖 길짐승들이 모여 상좌 다툼을 한다.

[아니리]

"내 모양이 아무리 그렇게 생겼다 할지라도

이렇게 모인 만좌중[404]에 내 망신을 이다지도 시킨단 말이오?"

그때여 별주부가 또 한 편을 바라보니

왼갖 길짐생[405]들이 모여 앉어

상좌 다툼을 허는디 이런 가관이 없던 것이었다

[중모리]

공부자[406] 작춘추[407]에 절필[408]허든 기린이며

삼군[409]삼영[410] 거동시[411]에 천자[412] 옥련[413]의 코끼리며

옥경 선관[414] 승필허든[415] 풍채 좋은 사자로다

서백이 위수 사냥헐 제 비웅비표 곰이로다[416]

---

404) 만좌중(滿座中): 여러 사람이 꽉 늘어앉은 자리.

405) 길짐생: 길짐승. 기어 다니는 짐승을 통틀어 이르는 말. 주수(走獸)

406) 공부자(孔夫子): '공자'를 높여 부르는 말. '부자'는 '선생'의 뜻임.

407) 작춘추(作春秋): 춘추를 지을 적에. 「춘추」는 공자가 지은 노나라 역사서.

408) 절필(絶筆): 붓을 놓고 글쓰기를 그만둠.

409) 삼군(三軍): 군대의 좌익·우익·중군을 통틀어 이르는 말.

410) 삼영(三營): 훈련도감(訓練都監)·금위영(禁衛營)·어영청(御營廳)의 총칭.

411) 거동시(擧動時): 임금이 나들이를 할 때.

412) 천자(天子): 천재(天宰)의 아들이란 뜻으로, 천명을 받아 천하를 다스리는 사람, 곧 중국에서 '황제'를 일컫던 말.

413) 옥련(玉輦): 임금이 타던 '가마'를 높이어 일컫는 말.

414) 옥경 선관(玉京 仙官): 신선이 사는 하늘나라의 벼슬아치.

415) 승필(乘匹)허든: 타고 다니든.

416) 서백(西伯)이 위수(渭水) 사냥헐제 비웅비표(非熊非杓) 곰이로다: 서백 곧, 주(周)나라 문왕(文王)이 사냥을 가기에 앞서 점을 쳤더니, 곰도 아니고 표범도 아닌, 임금

창해 박랑사의 저격시황[417]의 저 다람쥐

강수동류원야성[418]에 슬피 운다고 저 잔나비[419]

꾀 많은 여우, 날랜 토끼, 털 좋은 너구리며

암곰, 숫곰, 멧돼지며, 노루, 사슴, 승냥이[420]

이러한 동물들이 앙금앙금 내려와서 상좌 다툼을 허는구나.

20. 자네들 내 나이를 들어보소 (단중모리)

- 노루와 너구리가 서로 상좌에 앉으려고 자기 자랑을 늘어놓는다.

[아니리]

"자! 우리가 연년이[421] 회취[422]허고 노는 놀음에

상좌 없이는 못 놀것으니 금년부터서는

상좌를 정하고 놀음이 어떠헌고?"

그 말이 옳다 허고

"저기 앉은 장도감[423]은 언제 났소?"

을 모실 훌륭한 신하를 만날 것이라는 점괘가 나왔는데, 이 말대로 문왕은 위수의 북쪽에서 강태공을 만났다는말에서 유래된 것.

417) 창해 박랑사(滄海 博浪沙)의 저격시황(狙擊始皇): 한 고조의 모사였던 장량(張良)이 한나라의 원수를 갚으려고 창해군이라고 하는 장사를 만나 사람을 얻어 박랑사에서 진시황제가 탄 수레를 철퇴로 내리쳐 죽이려다 실패한 일을 가리킴.

418) 강수동류원야성(江水東流猿夜聲): '강물은 하염없이 동쪽으로 흐르는데 원숭이만 밤에 구슬프게 울도다'. 이백(李白)이 쓴 「양양가(讓陽歌)」의 한 구절.

419) 잔나비: '원숭이'의 방언.

420) 승냥이: 포유류 갯과의 짐승.

421) 년년(年年)이: 해마다. 매년.

422) 회취: 여러 사람이 한곳에 많이 모임. 또는 여러 사람을 한곳에 많이 모음.

423) 장도감(獐都監): 도감벼슬을 하는 노루. '도감'은 국장, 국혼 따위를 맡아보던 임시 관청.

[단중모리]

“자네들 내 나이를 들어보소.

내 나이를 셀작시면[424]

기경상천[425] 이태백이 날과 둘이 동접하야[426]

광산[427] 십리 글을 읽다

태백은 인재로서 옥경[428]으로 상천[429]허고

나는 미물[430] 짐생이라 이리 천케[431] 되았으나

태백과 연갑[432]이 되니 내가 상좌를 못 허것나?”

달파총[433] 너구리가 나앉으며

“장도감도 내 아래요!”

“달파총은 언제 났소?”

“나의 수작[434] 들어보소.

동작대[435] 지은 집에 좌편 청룡각[436]이요, 우편은 금봉루[437]라.

이교[438]에 뜻을 두고 조자건[439]이 글을 지어 동작대부 운허든[440]

---

424) 셀작시면: 나이를 센다고 하면.

425) 기경상천(騎鯨上天): 이태백이 채석강에서 강에 비친 달을 잡으려다 빠져 죽은 뒤 고래를 타고 하늘로 올라갔다는 고사에서 유래. 마자재(馬子才)가 쓴 시 「연사정(燕思亭)」의 일부분.

426) 동접(同接)하야: 같은 곳에서 함께 공부하여.

427) 광산(匡山): 여산(廬山)을 일컬음. ‘여산’은 중국 강서성(江西省)에 위치.

428) 옥경(玉京): 하늘 위의 옥황상제(玉皇上帝)가 산다는 서울. 백옥경(白玉京).

429) 상천(上天): 하늘로 올라감.

430) 미물(微物): 벌레 따위의 작은 동물을 일컫는 말.

431) 천(賤)케: 천하게. 지위나 계급 따위가 매우 낮게.

432) 연갑(年甲): 나이가 거의 같은 사람 또는 같은 나이. 동갑.

433) 달파총(獺把摠): 각 군영의 종 4품 무관인 파총 벼슬을 하는 너구리.

434) 수작(酬酌): (술잔을 서로 주고받는다는 뜻에서) 말을 서로 주고받음, 또는 주고받는 그 말.

435) 동작대(銅雀臺): 중국 삼국시대 위나라의 조조가 수도인 업(鄴)의 북서쪽에 지은 누대.

436) 청룡각(靑龍閣): ‘옥룡각(玉龍閣)’의 잘못된 표현.

437) 금봉루(錦峰樓): 봉황모양의 흙과 돌로 쌓은 작은 성.

조맹덕[441]의 연갑이니, 내가 상좌를 못 허것나?"

21. 자네들 내 나이를 들어보소 (중중모리)
- 토끼가 등장하여 자신이 상좌에 앉겠다고 한다.

[아니리]

토끼가 깡짱 뛰어 나앉더니마는

[중중모리]

"자네들 내 나이를 들어보소. 자네들 내 나이를 들어봐.
한 광무[442] 시절의 간의대부[443]를 마다허고
부운[444]으로 채일[445] 삼고
동강 칠리탄[446] 낚시줄을 담가 놓고 고기 낚기 힘써허든
엄자릉[447]이 시조[448]허고 날과 둘이 동갑이니
내가 상좌를 못 허것나?"

---

438) 이교(二喬): 중국 삼국시대 재색을 겸비한 오나라의 자매로, 대교와 소교를 말함.
439) 조자건(曺子建): 중국 위나라 시인. 조조의 아들로서 글재주가 뛰어나 조조가 「동작대부」를 짓게 했음.
440) 동작대부 운(銅雀臺賦 韻)허든: 「동작대부」라는 글을 운에다 맞추어 읊던.
441) 조맹덕(曹孟德): 조조(曹操). 위를 세운 인물로, 맹덕은 그의 자임.
442) 한 광무(光武): 한나라의 광무제 유수(劉秀)를 말함.
443) 간의대부(諫議大夫): 임금의 잘못을 간(諫)하고, 정치의 득실을 논하던 벼슬.
444) 부운(浮雲): 뜬구름.
445) 채일: '차일(遮日)'의 방언. 주로 햇볕을 가리기 위해 치는 포장을 말함.
446) 동강 칠리탄(銅江 七里灘): 중국 절강성(浙江省) 동로현(楝蘆懸) 경계에 있는 여울.
447) 엄자릉(嚴子陵): 엄광(嚴光). 자릉은 그의 자(字). 후한을 세운 광무제(유수)와 어려서 함께 글을 배웠음.
448) 시조(始祖): 한 겨레의 가장 처음이 되는 조상.

22. 나의 연세를 들어보소 (중모리)

- 멧돼지가 나서면서 자기 자랑을 하며, 자기가 상좌에 앉겠다고 말한다.

[아니리]

멧돼지란 놈이 꺼시렁 눈썹[449]을 끔적끔적허고 나앉더니마는

[중모리]

"나의 연세를 들어보소.

한나라 사람으로 흉노국[450]에 사신 갔다,

충의 충절 십구년에 수발이 진백하야[451]

고국산천 험한 길로 허유허유 돌아오든

소중랑[452]의 연갑이니, 내가 상좌를 못 허겄나?"

449) 꺼시렁 눈썹: 활짝뜨지 못하는 눈썹.

450) 흉노국(匈奴國): 흉노족이 세운 나라. 흉노는 중국 진(秦), 한대(漢代)에 몽고고원에서 활약한 유목민족.

451) 충의 충절(忠義 忠節) 십구년에 수발(鬚髮)이 진백(盡白)하야: 충성스럽고 꿋꿋한 절개를 지킨 지 19년 만에 머리털이 모두 희어져.

452) 소중랑(蘇中郎): 중랑장 벼슬의 소무(蘇武)를 말함. 자는 자경(子卿). 흉노정벌에 공을 세운 소건(蘇建)의 차남.

Ⅵ. 자라와 호랑이의 만남

23. 범 내려 온다. (엇모리)
- 별주부 자라가 토끼를 부른다는 것이 발음을 잘못하여 호랑이를 부르니 호랑이가 듣고 좋아하며 내려온다.

[아니리]

이리 한참 노닐 적에
그때여 별주부가 또 한편을 바라보니
그곳에 토끼가 있을 듯하야 화상을 펴 들고 보니
분명히 토끼가 있는지라.
"저기 섰는 게 퇴생원[453] 아니오?" 허고 부른다는 것이
수로만리[454]를 아래턱으로 밀고 올라와서
아래턱이 뻣뻣하야 '퇴' 자를 '호' 자로 붙여 한번 불러 보것다

[창조]

"저기 주둥이 벌건허고[455] 얼쑹덜쑹[456]헌 게
퇴퇴퇴 호생원 아니오?"

[아니리]

허고 불러노니
첩첩산중[457] 호랭이 생원[458] 말 듣기는 처음이라

---

453) 퇴생원: 토생원(兎生員). '생원벼슬을 하는 토끼'라는 뜻으로, 토끼를 의인화한 표현.
454) 수로만리(水路萬里): 아주 먼 뱃길.
455) 벌건허고: 붉은 색이고.
456) 얼쑹덜쑹: 여러 가지 빛깔이나 무늬가 고르지 않게 촘촘히 무늬져 있는 모양.

반겨듣고 내려오는디

[엇모리]

범 내려온다. 범이 내려온다

송림 깊은 골로[459] 한 짐생이 내려온다

누에머리[460]를 흔들며, 양 귀 쭉 찢어지고

몸은 얼쑹덜쑹, 꼬리는 잔뜩 한 발[461]이 넘고

동애[462]같은 앞다리, 전동[463]같은 뒷다리

새낫[464] 같은 발톱으로, 엄동설한 백설격으로[465]

잔디 뿌리 왕모래[466] 좌르르르 헡치며[467]

주홍 입 떡 벌리고 자라 앞에 가 우뚝 서

'홍앵앵앵' 허는 소리 산천을 뒤덮고 땅이 툭 꺼지난 듯

자라가 깜짝 놀래 목을 움치고[468] 가만히 엎졌을 제

457) 첩첩산중(疊疊山中): 산이 첩첩이 둘러싸인 깊은 산 속.
458) 생원(生員): 소과(小科)의 종장(終場)에 급제한 사람을 일컫던 말로 신분상 선비로서 사회적 공인을 받았음.
459) 송림(松林) 깊은 골로: 소나무로 이루어진 숲의 깊은 골짜기로.
460) 누에머리: 잠두. 산의 형세가 누에머리 모양으로 솟은 산꼭대기를 뜻하는 말로, 머리가 툭 불거진 모양을 가리킴.
461) 한 발: 두 팔을 잔뜩 벌린 만큼의 거리.
462) 동애(筒兒): 활과 화살을 꽂아 넣어 등에 메는 가죽으로 만든 물건. 고건(櫜鞬).
463) 전동(箭筒): 화살을 넣는 통(桶)으로, 끈을 달아 등에 메기도 함. 본딧말은 '전통'임.
464) 새낫: 날을 세운 낫.
465) 엄동설한 백설격(嚴冬雪寒 白雪格)으로: 몹시 추운 겨울에 흰 눈 모양으로.
466) 왕(王)모래: 굵은 모래.
467) 헡치며: 흩이며. 한곳에 모였던 것을 다 각각 떨어져 헤지게 하며.
468) 움치고: 움츠리고.

24. 얼씨구나 절씨구. (중중모리)

- 별주부 자라가 발음을 잘못하여 호랑이를 부르니 호랑이가 내려와 별주부를 보고 잡아먹으려고 한다.

[아니리]

호랭이가 내려와 보니

아무 것도 없고 누워 말라버린 쇠똥 같은 것밖에 없지.

"아니 이것이 날 불렀나?

이리 보아도 둥글, 저리 보아도 둥글

우둥글[469] 납작이냐?"

아무 대답이 없제.

"옳다! 이게 하느님 똥인가 보다.

하느님 똥 먹으면 만병통치[470] 헌다더라."

그 억센 발톱으로 자라 복판을 꽉 짚고 먹기로 작정을 허니,

자라 겨우 입부리만 내어

"자! 우리 통성명[471] 헙시다."

호랭이 깜짝 놀래 주저 앉으며

"이크! 이것이 날더러 통성명을 허자구?

오, 나는 이 산중을 지키는 호생원이다.

너는 명색이 무엇인고?"

"예, 저는 수국 전옥주부[472]

---

469) 우둥글: 두루뭉실. 모나지도 않고 아주 둥글지도 않게 둥그스름.
470) 만병통치(萬病通治): 어떤 한 가지 약이 여러 병에 두루 효험을 나타냄.
471) 통성명(通姓名): 처음 인사할 때 서로 성과 이름을 알려주는 것.

공신 사대손473) 별주부 자라라 하오."
호랭이가 자라란 말을 반겨 듣고 한번 놀아 보는디

[중중모리]

"얼씨구나! 절씨구. 얼씨구나! 절씨구.
내 평생 원하기를 왕배탕474)이 원일러니
다행히 만났으니 맛 좋은 진미475)를 베어 먹어보자."
자라가 기가 막혀,
"아이고! 나 자라 아니오."
"그러면 니가 무엇이냐?"
"나 두꺼비요!"
"니가 두꺼비면 더욱 좋다.
너를 산 채로 불에 살라476) 술에 타 먹었으면
만병회춘477)으 명약이라.
두 말 말고 먹자. 으르르 아앙."
자라가 기가 막혀
"아이고! 이 급살 맞일478) 것이
동의보감479)을 살라서480) 먹었는지 먹기로만 드는구나."

---

472) 전옥주부(典獄主簿): 감옥 일을 맡아보던 벼슬아치.
473) 공신 사대손(功臣 四代孫): 나라를 특별한 공훈을 세운 신하의 4대 후손.
474) 왕배탕(王背湯): 등에 임금 '왕' 자를 달고 다니는 것을 끓인 탕. 곧, 자라탕이나 거북탕.
475) 진미(珍味): 음식의 썩 좋은 맛, 또는 그런 음식물.
476) 불에 살라: 불에 태워.
477) 만병회춘(萬病回春): 한 가지 약의 효험이 온갖 병에 맞아 원기를 회복함.
478) 급살(急煞) 맞일: 급작스럽게 죽을.

25. 우리 수국 퇴락하야 (자진모리)
- 별주부가 자기의 목이 늘어난 내력을 말한 후, 호랑이의 급소를 물어버리자, 호랑이가 겁이 나서 도망간다.

[아니리]

자라가 한 꾀를 얼른 내어
목을 길게 빼고 호랑이 앞으로 바짝바짝 달려들며
"여보, 여보! 목 나가오. 목 나가오."
호랭이 깜짝 놀래 주저 앉으며
"이크! 여보시오 그만 나오시오, 그만 나와.
아 그렇게 나오다가는 하루 일천 오백 발도 더 나오것소.
아니 몸은 조그만한 양반이 어찌 그리
목 뒤움치기[481]를 잘 허시오?"
"오! 내 목 내력[482]을 이를 테니 니가 한번 들어보아라."

[자진모리]

"우리 수국 퇴락[483] 하야
천여 간[484] 기와집을 내 솜씨로 올리려다

---

479) 동의보감(東醫寶鑑): 개주갑인자본, 25권 25책으로 구성. 조선왕조 선조 때(1613년) 허준(許浚)이 저술한 의서.
480) 살라서: 불에 태워 없애서.
481) 뒤움치기: (비교적 큰 동작으로) 몸의 일부를 내밀었다 갑자기 오그려 들여보내는 동작을 반복 하는 것.
482) 내력(來歷): 어떤 사물의 지나온 자취.
483) 퇴락(頹落): (집이) 무너지고 떨어짐.
484) 간(間): 평방의 넓이를 이르는 단위.

목으로 절컥[485] 떨어져 이 병신이 되었으되

명의[486]더러 물은 즉 호랑이 쓸개가 좋다 허기로

도랑귀신[487] 잡어 타고 호랑이 사냥 나왔으니

니가 일찍 호랑이냐?

쓸개 한 점 못 주것나?

도랑귀신 게 있느냐?

비수검[488] 드는 칼로 이 호랑이 배 갈라라."

앞으로 바짝 기어들어, 도리랑 도리랑.

---

485) 절컥: 단단하고 찰기 있는 물체가 세게 들러붙는 소리. 또는 그 모양.

486) 명의(名醫): 병을 잘 고치는 이름난 의사.

487) 도랑귀신: '작은 개울에 있는 귀신' 이라는 뜻으로 쓴 듯. 자라는 민물 물고기이므로 도랑과 연관을 지은 것임.

488) 비수검(匕首劍): 날카로운 단도.

Ⅶ. 자라와 토끼의 만남

26. 계변양류 (진양조)

- 별주부 자라가 토끼 만나기를 기원하며 산신제를 지낸다.

[아니리]

호랑이 다리를 꽉 물고 뺑 흔들어 노니

어찌 이놈이 아팠던지 거기서 겁 김에

의주 압록강까지 도망을 허였것다

거기 가서 저 혼자 장담허는 말이

"아이고! 그 놈 용맹 참 무서운 놈이로구나.

나나 되니 여기까지 살어 왔제, 다른 놈 같었으면

영락없이[489] 꼭! 죽었을 것이다."

그때여 별주부는 호랑이를 쫓은 후에 곰곰이 생각허니

"호랑이라 허는 것은 산중지영물[490]이라.

내 눈 앞에 보일진대 내 정성이 부족한 탓이로구나."

목욕재계[491] 정히 허고 산신제[492]를 지내는디

[진양조]

계변양류[493] 늘어진 가지 하나를 앞니로 잘끈 꺾어내여

진토[494]를 쓸어 버리고 암상[495]으로 제판[496] 삼고

---

489) 영락(零落)없이: 조금도 틀리지 않고 꼭 들어맞게.

490) 산중지영물(山中之靈物): 산 속의 영묘하고 신비로운 짐승.

491) 목욕재계(沐浴齋戒): 부정 타지 않도록 하기 위하여 목욕을 하고, 육식을 삼가며, 몸가짐을 바르게 하는 일.

492) 산신제(山神祭): 산신에게 지내는 제사

493) 계변양류(溪邊楊柳): 시냇가의 버드나무.

494) 진토(塵土): 티끌과 흙.

낙엽으로 면지[497]를 깔고 산과목실[498]을 주워다가

방위 가려서[499] 갈라놓고 은어 한 마리 잡어내여

어동육서[500]로 받쳐놓고 석하[501]에 배례[502]하여

지성으로 독축[503]을 헌다

[축문]

“유세차[504] 갑신 유월 갑신[505] 삭[506] 임자[507] 초칠일

남해 수궁 별주부 자라 감소고우[508]

상천일월성신[509] 후토[510] 명산 신령전[511] 지성으로 비나이다.

용왕이 우연득병[512]하야 선의도사[513] 문병 후에

---

495) 암상(巖床): 암장(巖漿)이 지층 사이로 비스듬히 들어가 넓게 퍼져서 굳은 판자모양의 암체.
496) 제판(題板): 제사를 지낼 때, 지방(紙榜)이나 음식들을 차려놓은 큰 상 따위.
497) 면지(面紙): 제사를 지낼 때, 제사상 위에 까는 종이.
498) 산과목실(山果木實): 산에서 나는 과일과 나무 열매.
499) 방위(方位) 가려서: 제사상을 차릴 때 음식을 각기 정해진 방향에 따라 차려서.
500) 어동육서(魚東肉西): 제사상을 차릴 때 어찬(魚饌)은 동쪽, 육찬(肉饌)은 서쪽에 놓는 일.
501) 석하(夕霞): 해질 무렵의 안개.
502) 배례(拜禮): 절하는 예(禮). 절을 하여 예함.
503) 독축(讀祝): 축문(祝文)을 읽는 것. 축문은 제사 지낼 때 신명께 고(告)하는 글을 말함.
504) 유세차(維歲次): (간지로 따져볼 때) 해의 차례. 제문(祭文)의 첫머리에 쓰는 관용어.
505) 갑신(甲申): 육십갑자(六十甲子)의 스물한 번째.
506) 삭(朔): 초하루. 축문에서 월건 다음에 관용적으로 사용하는 말.
507) 임자(壬子): 육십갑자의 마흔 아홉 번째.
508) 감소고우(敢昭告于): 주로 축문에서 쓰이는 말로 ‘감히 신령님께 고하나이다’라는 의미.
509) 상천일월성신(上天日月星辰): 높은 하늘에 있는 해와 달과 별.
510) 후토(后土): 토지(土地)의 신(神).
511) 명산 신령전(名山 神靈前): 이름난 산의 신령께.
512) 우연득병(偶然得病): 우연히 병을 얻음.
513) 선의 도사(仙衣 道士): 신선(神仙)의 옷차림을 한 도사(道士).

토끼간이 낫사오니, 중산[514]토끼 한 마리를

허급 허옵심을[515] 상사[516] 상향.[517]"

27. 한 곳을 바라보니 (중중모리)

- 별주부 자라가 토끼를 발견하여 토생원이냐고 물어보니 토끼가 좋아하면서 내려온다.

[아니리]

빌기를 다헌 후에

[중중모리]

한 곳을 바라보니 묘한 짐생이 앉었네.

두 귀난 쫑긋, 눈은 도리도리

허리난 늘씬, 꽁댕이[518] 묘똑

좌편 청산이요, 우편은 녹순데

녹수청산으 에굽은 장송 휘늘어진 양류수

들랑달랑 오락가락 앙그주춤 기난 토끼

산중퇴, 월중퇴 자라가 보고서 괴이 여겨

화상을 보고 토끼를 보니 분명한 토끼라.

---

514) 중산(重山): 깊은 산 속.

515) 허급(許給) 허옵심을: 급히 허락하여 주심을.

516) 상사(商事): 『예기』의 "증자문"에 나오는 말로, '아들이 부모를 위해 제사 지내는 일은 일상의 떳떳한 일'이라는 뜻. 제문이나 축문의 끝에 쓰는 말.

517) 상향(尙饗): '신명께서 제물을 받으소서', '흠향하시옵소서' 라는 뜻으로 제례 축문의 끝에 쓰는 말.

518) 꽁댕이: '꼬랑이'의 방언.

보고서 반기 여겨, “저기 섰는 게 퇴생원 아니오?”

토끼가 듣고서 좋아라고 깡짱 뛰어 나오면서

“거 뉘기[519]가 날 찾나?

날 찾을 이가 없건마는 거 뉘기가 날 찾어

기산 영수[520] 소부 허유[521] 피세 가자고[522] 날 찾나?

수양산[523] 백이 숙제[524] 채미허자고[525] 날 찾나?

백화심처일승귀 춘풍석교화림중[526]

성진[527] 화상[528]이 날 찾나?

완월장취 강남 태백[529] 기경상천[530] 험한 길

함께 가자고 날 찾나?

도화유수[531] 무릉옹[532] 거주촉객[533]이 날 찾나?

---

519) 뉘기: 누구.

520) 기산 영수(基山 領水): 중국 하남성(河南省)에 있는 산과 강.

521) 소부 허유(巢父 許由): 중국 고대의 전형적인 은사(隱士). 요임금은 소부가 어질다는 소문을 듣고 천하를 그에게 물려주려 했으나 이에 불응. 요임금은 다시 허유에게 천하를 물려주려 했으나 허유도 이를 거절하고 영수의 북쪽에 있는 기산 아래에 숨어살았음.

522) 피세(避世)가자고: 세상을 피해 숨자고.

523) 수양산(首陽山): 중국 산서성의 남서쪽에 위치한 산.

524) 백이숙제(伯夷叔齊): 중국 주(周) 나라의 전설적인 형제 성인(兄弟聖人).

525) 채미(採薇)허자고: 고사리를 캐자고.

526) 백화심처일승귀 춘풍석교화림중(百花深處一僧歸 春風石橋花林中): ‘온갖 꽃이 피어 흐드러진 곳으로 스님 한 분이 돌아오는데, 봄바람 부는 돌다리는 꽃숲 속에 들어 있네.’ 김만중(金萬重)의 소설 「구운몽(九雲夢)」에서 주인공 양소유가 중이었을 때 죄를 짓고 이승으로 환생하기 전 스승인 육관대사의 심부름으로 용궁에 갔다가 온갖 꽃들이 만발한 봄날에 여덟 선녀가 쉬고 있는 돌다리로 해서 돌아온 일을 말함.

527) 성진(性眞): 「구운몽」에 나오는 남자 주인공의 천상계에서 이름.

528) 화상(和尙): 중을 높여 부르는 말.

529) 완월장취(玩月長醉) 강남 태백(太白): 달을 벗 삼아 오래도록 술에 취했던 강남의 이태백(李太白).

530) 기경상천(騎鯨上天): 고래를 타고 하늘로 올라감. 이태백은 신선이 되어 고래를 타고 하늘로 올라갔다고 함.

531) 도화유수(桃花流水): 이백이 지은「산중문답(山中問答)」의 한 구절로, 원문은 도화유

청산기주백록탄[534] 여동빈[535]이 날 찾나?
차산중 운심헌디 부지처[536] 오신 손님
날 찾을리 만무로구나,[537]거 뉘기가 날 찾나?
건넌 산 과부 토끼가 연분[538]을 맺자고 날 찾나?"
요리로 깡충, 저리로 깡충, 짜웃둥 거리고 내려온다.

28. 임자없는 녹수청산 (중모리)
- 별주부 자라가 토끼의 세상 흥미를 물으니, 토끼가 자신의 생활을 자랑한다.

[아니리]

이리 한참 내려오다가 별주부허고 탁! 들이 받았것다.
"아이고, 코야!"
"아이고, 이마빽이야!
어허, 그분 초면에 남의 이마빽을 왜 이렇게 받으시오?"
"자, 우리 그러지 말고 통성명이나 합시다."
"그럽시다."

수묘연거(桃花流水杳然去)이며, '시냇물에 복숭아꽃 흘러가니'라는 뜻.
532) 무릉옹(武陵翁): 무릉의 노인. 여기서 무릉의 노인은 '도연명(陶淵明)'을 가리킴.
533) 거주촉객(擧舟觸客): 소식(蘇軾)이 쓴 「적벽가(赤壁暇)」에 나오는 말로, 원문은 淸風徐來, 水波不興, 擧酒觸客, 誦明月之詩, 歌窈窕之章 '맑은 바람은 천천히 불어오고 물결도 일지 않는데, 술잔을 들어 손님에게 권하며, 명월의 시를 읽고 요조의 문장을 노래했다'임.
534) 청산기주백록탄(靑山夔州白鹿灘): 중국 당나라 때의 선인(仙人) 여동빈이 쓴 시의 한 토막.
535) 여동빈(呂洞賓): 팔대선인(八代仙人)중 한명. 서기 750년경의 학자.
536) 차산중운심(此山中雲深)헌디 불여처(不知處): 당나라 시인 가도(賈島)가 쓴 「심은자불우(尋隱者不遇)」에서 따온 말.
537) 만무(萬無)로구나: 절대로 없구나.
538) 연분(緣分): 서로 관계를 맺게 되는 인연.

"게서는 뉘라 하시오?"

"예, 나는 수국 전옥주부 공신 사대손 별주부 자라라 하오.

게서는 뉘라 하시오?"

"예 나는 세상에서 이음양순사시[539]허던

예부상서[540]월토일러니[541]

도약주[542] 대취하야[543] 장생약 그릇 짓고[544]

적하중산하야[545] 머무른지 오랠러니

이 세상에서 부르기를 명색 퇴선생이라 부르오."

별주부 듣고 함소[546] 왈

"퇴선생 높은 이름 들은 지 오랠러니

오늘날 상봉키는 하상견지만만무고불측이로소이다.[547]

아닌게 아니라, 잘났소. 잘났어.

진세에서 몰라 그렇지 우리 수궁을 들어가면

훈련대장은 꼭 사실 것이고.

미인미색을 밤낮으로 데리고 동락을 헐 것이니 그 아니 좋소?

그런디 퇴선생은 이 세상에서 무슨 재미로 살으시오?"

"뭐 나 지내는 재미는 무쌍[548]이지요마는

---

539) 이음양순사시(理陰陽順四時): 음양을 맡아 춘하추동의 변화를 순조롭게 함.
540) 예부상서(禮部尙書): 중국에서 예부의 장관을 이르던 말.
541) 월퇴(月退)일러니: 달 속의 토끼일러니.
542) 도약주(搗藥酒): 약초를 넣어서 빚은 술.
543) 대취(大醉)허여: 술에 몹시 취하여.
544) 장생약(長生藥) 그릇 짓고: 먹으면 오래 산다는 약을 잘못(그르게) 만들고
545) 적하중산(謫下中山)허여: 하늘에 죄를 짓고 산으로 내려와.
546) 함소(含笑): 웃음을 머금거나 웃는 모습을 띰.
547) 하상견지만만무고불측(何相見之晩晩無故不測)이로소이다: 이렇게 서로 늦게 만나게 되리라고는 전혀 예측하지 못했소이다.

세상 흥미를 한번 이를 테니 들어 보시오.”

[중모리]

“임자 없는 녹수청산

일모황혼549) 저문 날에 월출동령550)의 잠을 깨니

청림벽계551) 집을 삼고

값이 없는 산과목실552) 양식을 삼어서 감식헐 제553)

신여부운554) 일이 없어 명산 찾어 완경헐 제555)

여산동남 오로봉556)과 진국명산557) 만장봉558)과

봉래 방장 영주 삼산559)이며 태산560) 숭산561)

형산562) 화산563) 만학천봉 구월섬곡564) 삼각 계룡565)

---

548) 무쌍(無雙): 둘도 없이 좋은 팔자.
549) 일모황혼(日暮黃昏): 날이 저물어 해가 지고 어둑어둑함.
550) 월출동령(月出東嶺): 동쪽 산봉우리에 달이 뜸.
551) 청림벽계(靑林碧溪): 나무가 무성한 푸른 숲과 물이 매우 맑아 푸른빛 도는 계곡.
552) 산과목실(山果木實): 산에서 나는 과실과 나무의 열매.
553) 감식(甘食)헐제: 음식을 맛있게 먹을 제.
554) 신여부운(身如浮雲): 몸이 뜬구름과 같이 한가하여.
555) 완경(玩景)헐제: 경치를 즐길 제.
556) 여산동남 오로봉(廬山東南 五老峰): 여산의 동쪽 파양호를 임한 곳에, 1300여m에 이르는 다섯 개의 봉우리가 치솟아 있는 모습이 다섯 노인이 어깨를 나란히 하고 선듯하다고 해서 붙은 이름.
557) 진국명산(鎭國名山): 줄여서 ‘진산(鎭山)’ 이라고도 함. 도읍이나 성시(城市) 등의 뒤쪽에 있는 큰 산을 이르던 말.
558) 만장봉(萬丈峰): 높디 높은 산봉우리.
559) 삼산(三山): ‘삼신산’의 준말. 중국에 있는 봉래(蓬萊), 방장(方丈), 영주(瀛州)의 세 산을 말함.
560) 태산(泰山): 중국 오악의 하나인 동악(洞樂). 산동성(山東城) 태안(泰安)의 북쪽에 있는 명산.
561) 숭산(嵩山): 중국 오악의 하나인 중악(中岳). 하남성(河南省) 정주(鄭州)의 남서쪽에 있는 명산.
562) 형산(衡山): 중국 오악의 하나인 남악(南岳). 호남성(湖南省) 동정호(洞庭湖)의 남쪽에 있는 명산.
563) 화산(華山): 중국 오악의 하나인 서악(西岳), 섬서성(陝西省)의 진령(秦嶺)산맥 북동

금강산 아미산[566] 수양산을 아니 본 곳 없이 모두 놀고

영주 삼산이며, 완완히[567] 기어올라

흑운[568]을 박차고 백운[569]을 무릅쓰고

여산으 낙조경[570]과 위국의 일출경[571]을 완완히 삼렬허니[572]

등태산소천하[573]의 공부자[574]의 대관인들[575]

이어서 더 하드란 말이냐?

밤이면은 완월[576] 구경, 낮이 되면은 유산[577]헐 제

이따금 심심허면 적송자[578]의 안기생[579]을 종아리 때리고 노니

강산 풍경 흥미간의 지상신선[580]이 나 뿐인가?"

끝에 있는 명산.

564) 구월섬곡(九月蟾谷): 두꺼비 형국의 가을 골짜기. 산수의 아름다움을 말함.

565) 삼각 계룡(三角 鷄龍): 삼각산과 계룡산.

566) 아미산(峨嵋山): 사천성(四川城) 서부에 있는 산으로, 중국 4대 명산의 하나.

567) 완완(緩緩)히: 느릿느릿. 천천히.

568) 흑운(黑雲): 검은 구름.

569) 백운(白雲): 흰 구름.

570) 여산 낙조경(廬山 落照經): 여산의 해가 지는 풍경.

571) 위국(魏國)의 일출경(日出經): 위 나라의 해가 뜨는 풍경.

572) 삼렬(森列)허니: 촘촘하게 늘어서있으니.

573) 등태산소천하(登泰山小天下): '공자께서 태산에 올라가서 굽어보니 세상이 작아보였다.'라고 한 말.

574) 공부자(公夫子): 중국 고대의 사상가인 공자를 일컫는 말.

575) 대안(大觀)인들: 국면(局面)을 널리 관찰한들. 천하를 한눈에 훑어본들.

576) 완월(玩月): 달을 구경함.

577) 유산(遊山): 산으로 놀러 나감.

578) 적송자(赤松子): 중국 고대 신농씨(神農氏) 때 비를 맡았다는 신선.

579) 안기생(安期生): 본디 약을 팔던 진나라 사람인데, 신선인 하상장인에게 도술을 배워 신선이 되었다고 함.

580) 지상신선(地上神仙): 이 세상에 산다고 하는 신선. 팔자가 썩 좋은 사람을 비유하여 이르는 말.

29. 일개한퇴 그대신세 (자진모리)

- 별주부 자라가 토끼의 험난한 세상을 말하며 겁을 준다.

[아니리]

"아닌게 아니라, 잘 지내시오, 잘 지내.

당신 거 발 맵시도 오입쟁이로 생겼거니와

풍채[581] 또한 잘났소, 잘났어

그런디 당신 관상[582]을 보아하니

미간에 화망살[583]이 비쳐 이 세상에 있고 보면

죽을 지경을 꼭 여덟 번을 당허것소."

"허허, 그 분 초면에 방정맞은 소리를 허는군.

내 모양이 어째서 그렇게 생겼단 말이요?"

"내 이를 테니 한번 들어보시오."

[자진모리]

"일개한퇴[584] 그대 신세

삼춘구추[585]를 다 지내고 대한 엄동 설한풍에

만학[586]으 눈 쌓이고 천봉에 바람이 칠 제[587]

581) 풍채(風采): 의젓한 겉모양.
582) 관상(觀相): 겉으로 드러난 얼굴.
583) 미간 화망살(眉間 禍亡煞): 두 눈썹 사이에 화(禍)를 입고 죽을 기운.
584) 일개한퇴(一介閑退): 보잘 것 없는 한 낱 토끼.
585) 삼춘구추(三春九秋): 봄의 세 달(맹춘(孟春), 중춘(中春), 계춘(季春))과 가을의 세 달 동안.
586) 만학(萬壑): 첩첩이 겹쳐진 많은 골짜기.
587) 천봉(千峰)의 바람이 칠 제: 천 개의 봉우리에 바람이 세차게 분다.

앵무 원앙[588]이 끊어졌네. 화초목실[589] 없어질 제

어둑한 바위 밑에 고픈 배 틀어잡고

발바닥만 할짝할짝 더진 듯이[590] 앉은 거동

초회왕[591]의 원혼[592]이요

일월 고초 북해상 소중랑[593] 원혼이요

거의 주려 죽을 토끼 새우등 구부리고

삼동[594] 고생을 겨우 지내

벽도홍행 춘이월[595]에 주린 구복[596]을 채우랴고

심산궁곡[597]을 찾고 찾어 이리 저리 지낼 적에

골골이[598] 묻힌 건 목달개[599] 엄찰기[600]요

봉봉이[601] 섰난 건 매 받는[602] 응주[603]로다

목달개 걸치게 되면 결항지사[604]가 대랑대랑

---

588) 앵무 원앙(鸚鵡 鴛鴦): 앵무새와 원앙새.
589) 화초목실(花草木實): 꽃과 풀 그리고 나무와 그 열매.
590) 더진 듯이: 던진 듯이. 내던져진 듯이.
591) 초회왕(楚懷王): 춘추 전국시대 초나라의 회왕.
592) 원혼(怨魂): 원통하게 죽은 사람의 넋.
593) 일월 고초 북해상 소중랑(日月 苦楚 北海上 蘇中郎): 흉노 땅의 북해에서 날마다 괴로움과 어려움을 겪는 한나라의 소무(蘇武). 소무는 흉노 땅에 사신으로 갔다가 붙잡혀 갖은 고생 끝에 19년 만에 늙어 돌아옴. '중랑'은 소무가 중랑장이라는 벼슬을 했기 때문에 부르는 이름.
594) 삼동(三冬): 겨울의 석 달.
595) 벽동홍행 춘이월(碧桃紅杏 春二月): 푸른 복숭아꽃과 붉은 살구꽃이 피는 봄 이월.
596) 구복(口腹): (음식을 먹는) 입과 배.
597) 심산궁곡(深山窮谷): 심산유곡(深山幽谷). 깊은 산 속의 험하고 가파른 골짜기.
598) 골골이: 골짜기마다.
599) 목달개: 올가미.
600) 엄찰기: 엄착귀. 짐승을 잡기위해 설치는 덫을 이르는 말.
601) 봉봉(峰峰)이: 산봉우리 마다.
602) 매 받는: 매를 팔목에 받쳐 들고 있는.
603) 응주(應主): 매를 팔목에다 얹고 다니며 짐승을 사냥하는 매 사냥꾼.
604) 결항지사(結項致死): 목을 매어 달아 죽음에 이름.

제수[605] 고기가 될 것이요

청천[606]에 떴난 건 토끼 대구리[607] 덮치려고

우그리고[608] 드난 것은 기슭[609]으로 휘여 들어

몰이꾼[610] 사냥개 험산 골로 기어올라

퍼긋퍼긋[611] 뛰어갈 제

토끼 놀래 호도득 호도득[612]

'수할치[613] 매 놓아라!'

해동청[614] 보라매[615] 백두루미 빼지시[616]

공작이 망월[617] 도리당사[618] 적굴새 방울[619] 떨쳐

쭉지 치고 수루루루루

그대 귓전 양 발로 당그랗게[620] 집어 다가

꼬부랑한 주둥이로 양미간[621] 골치 대목을 쾅쾅쾅!"

"허, 그 분 방정맞은 소리 말래도 점점 더 허는디

---

605) 제수(祭需): 제사에 쓰이는 여러 가지 재료.
606) 청천(靑天): 푸른 하늘.
607) 대구리: '머리'의 방언.
608) 우그리고: 우그러지고. 안쪽으로 우묵하게 휘어져 들어가고.
609) 기슭: 비탈진 곳의 아랫부분.
610) 몰이꾼: 짐승이나 물고기를 잡을 때 한곳으로 몰아넣는 일을 맡은 사람.
611) 퍼긋퍼긋: 지쳐서 힘들게 뛰어가는 모양.
612) 호도득 호도득: 짐승들이 갑자기 튀어나가는 소리.
613) 수할치: 매사냥을 하는 사람.
614) 해동청(海東靑): 매 중에 가장 뛰어나고 색깔이 푸른 매.
615) 보라매: 그 해에 난 새끼를 길들여서 사냥에 사용하는 매.
616) 빼지시: 닭이나 기러기 깃에다가 꼬리표를 붙인 것.
617) 망월(望月): 멀리서 바라봄.
618) 도리당사: 중국에서 나는 여름 비단의 일종.
619) 방울: 매가 주인에게서 떠날 적에 가는 곳을 알아차릴 수 있도록 꽁지나 발목에 다는 방울.
620) 당그랗게: 덩그렇게. 높이 솟아 당당하게.
621) 양미간(兩眉間): 두 눈썹 사이.

그러면 뉘가 게 있간디요?

산 중등[622]으로 돌제."

"중등으로 돌면은, 송하[623]에 숨은 포수

오난 토끼 노랴고[624] 불 채리는[625] 도포수[626]

풀감투[627] 푸삼[628]을 입고

상사방물[629]에 왜물 조총[630] 화약 덮사실[631]을 얼른 넣어

반달같은 방아쇠, 고추 같은 불을 얹어

한 눈 째그리고 반만 일어서서

닫는[632] 토끼 찡그려 보고 꾸르르르 탕!"

"허, 그 분 방정맞은 소리 말래도 점점 더 하는디

그러면 뉘가 게 있간디요?

훤헌 들로 내리제."

"들로 내리면, 초동목수[633] 아이들이 몽둥이 들어메고

없는 개 호구리며, 워리! 두둑으 쫓는 양은

선술 먹은 초군[634]이요

---

622) 중등: 산의 가운데 쯤(중턱).
623) 송하(松下): 소나무 아래.
624) 노랴고: 쏠려고.
625) 불 채리는: 총 쏠 준비를 하는.
626) 도포수(都砲手): 포수의 두목. 사냥할 때 자욱 포수, 몰이 포수, 목 포수들을 총지휘함.
627) 풀감투: 사냥꾼이 짐승의 눈을 속이려고 풀로 만들어 머리에 쓰는 쓰개.
628) 푸삼: 사냥꾼이 짐승의 눈을 속이려고 입는, 풀을 꽂은 적삼.
629) 상사방물(商事方物): 장사꾼이 파는 물건.
630) 왜물조총(倭物鳥銃): 일본에서 들어온 구식총의 이름.
631) 덮사실: '덮사슬'의 방언. 이중 탄환. '사슬' 은 '탄환'의 옛말을 이름.
632) 닫는: 달려가는.
633) 초동목수(樵童牧豎): 산에서 나무를 하는 아이와 들에서 가축을 치는 아이.
634) 선술먹은 초군(樵軍): 술청 앞에 서서 술 마신 나무꾼.

그대 간장 생각허니 백등칠일곤곤 한태조 간장[635)]

적벽강상화진중[636)]의 조맹덕 정신이라.

거의 주려 죽을 토끼 층암절벽[637)]

석간[638)] 틈으로 기운없이 올라갈 제

쩌른[639)] 꼬리를 샅[640)]에 쪄 요리 깡충, 조리 깡충

깡충접동[641)] 뛰놀 제, 목궁기 쓴 내 나고

밑궁기 조총[642)] 놓니 그 아니 팔난[643)]인가?

팔난 세상 나는 싫네.

조생모사[644)] 자네 신세 한가허다고 뉘 이르며

무슨 정으로 유산?[645)] 무슨 정으로 완월?[646)]

아까 안기생[647)] 적송자[648)] 종아리 때렸다는

그런 거짓부렁이[649)]를 뉘기[650)] 앞에서 내었습나?"[651)]

---

635) 백등칠일곤곤 한태조 간장(白登七日困困 漢太組 肝場): 백등에서 흉노에게 포위 당하여 7일 동안이나 어려움을 겪었던 한나라 태조의 마음.

636) 적벽강상화진중(赤壁江上火陳中): 조조가 적벽강에서 손권과 유비의 연합군에 의해 불로 공격을 당해 대패했음.

637) 층암절벽(層巖絶壁): 높고 험한 바위가 겹겹이 쌓인 낭더러지.

638) 석간(石間): 돌 사이.

639) 쩌른: '짧은'의 방언.

640) 샅: 두 다리가 갈린 곳의 사이.

641) 깡충접동: 이리 뛰고 저리 뛰는 모양.

642) 조총(鳥銃): 화승총(火繩銃)을 달리 이르는 말. 화승의 불로 화약을 터트려 쏘던 구식총.

643) 팔난(八難): 배고픔, 추위, 더위, 물, 불, 병란(兵亂), 목마름, 칼의 여덟가지 재난.

644) 조생모사(朝生暮死): 조생모몰(朝生冒沒). '아침에 나서 저녁에 죽는다'는 뜻으로 명이 지극히 짧음을 이르는 말.

645) 유산(遊山): 산으로 놀러다님.

646) 완월(玩月): 달을 바라보면서 구경함.

647) 안기생(安期生): 본디 약을 팔던 진(晋)나라 사람인데, 신선인 하상장인(河上丈人)에게 도술을 배워 신선이 되었다고 함.

648) 적송자(赤松子): 중국의 고대 신농씨 때 비를 맡았다는 신선.

649) 거짓부렁이: '거짓말'을 속되게 이르는 말.

650) 뉘기: 누구.

30. 우리수궁 별천지라 (진양조)
- 별주부 자라가 토끼에게 수궁 세상의 온갖 자랑을 하며, 토끼에게 함께 가자고 꼬신다.

[아니리]

토끼가 가만히 듣더니마는
"대체 별주부 관상 잘 보시오
영락없이 내 모냥[652]이 꼭 그렇게 생겼을 것이오
내 모냥은 그렇다 허거니와
수궁 흥미는 어떠허오?"
"우리 수궁 흥미야 좋지요
수궁 흥미 반겨듣고 가자허면 마다헐 수 없고
가자 헌들 갈 수 없으니 애당초에 듣지도 마시오."
"내가 만일 수궁흥미 반겨듣고 가자허면
인사불성 쇠아들 놈이오. 그러니 어디 한번 들어나 봅시다"
별주부가 또 다시 구변[653]을 내는디

[진양조]

"우리 수궁 별천지[654]라
천양지간[655]으 해위최대[656]허고

---

651) 내었습나?: 내었습니까?.
652) 모냥: '모양'의 방언.
653) 구변(口辯): 말솜씨. 언변.
654) 별천지(別天地): 속세와는 매우 다른 좋은 세계.
655) 천양지간(天壤之間): 하늘과 땅 사이.

만물지중[657]의 신위최령[658]이라.

무변대해[659]에다 천여 칸[660] 집을 짓고

유리 기둥, 호박 주초[661]

주란화각[662]이 반공[663]의 솟았난디

우리 용왕 즉위하사 만족귀시허고[664]

백성으게 앙덕이라[665]

앵무병[666] 천일주[667]와 천빈옥반[668] 담은 안주

불로초 불사약[669]을 싫도록 먹은 후에

취흥[670]이 도도헐 제[671]

적벽강 소자첨[672]과 채석강[673] 태백 흥미

여[674] 와서 알았으면 이 세상에 왜 있으리?

채약허든[675] 진시황[676]과 구선허든[677] 한 무제[678]도

---

656) 해내최대(海乃最大): 바다가 제일 큼.
657) 만물지중(萬物之衆): 세상의 온갖 사물 가운데.
658) 천양지간 해위최대 만물지중 신위최령(天壤之間 海爲最大 萬物之中 神爲最靈): 하늘과 땅 사이에서는 바다가 가장 넓고, 사람과 사물 안에서는 신이 가장 영험함.
659) 무변대해(無邊大海): 끝없이 넓은 바다.
660) 간(間): 집에서 넓이를 재는 단위이며, 보통 일곱 자(210㎝) 내지 또는 여덟 자(240 ㎝) 평방을 이름.
661) 주초(柱墜): 기둥 밑에 괴는 돌 따위의 물건.
662) 주란화각(朱欄畵閣): 단청을 곱게 입히고 아름답게 꾸민 누각(樓閣).
663) 반공(半空): '반공중(半空中)'의 준말. 하늘과 땅 사이의 그다지 높지 않은 공중.
664) 만족귀시(蠻族貴示)허고: 모든 백성이 귀하게 여기고.
665) 백성으게 앙덕(仰德)이라: 백성들이 용왕의 덕을 떠 받느니라.
666) 앵무병: 앵무배(鸚鵡杯)의 잘못. 앵무조개의 껍데기를 가공하여 만든 술잔.
667) 천일주(千日酒): 담근지 천 일 만에 먹는 맛 좋은 술.
668) 천빈옥반(千賓玉般): 귀한 손님을 천명이나 대접할 수 있는 넓고 큰 옥쟁반.
669) 불노초 불사약(不老草 不死藥): 먹으면 늙지 않고, 죽지 않는다는 상상의 약초.
670) 취흥(醉興): 술에 취해 일어나는 멋스러운 기분.
671) 도도(滔滔)헐 제: 감흥이 벅차오를 제.
672) 소자첨(蘇子瞻): 소식(蘇軾). 중국 북송시대의 문인, 정치가.
673) 채석강(采石江): 중국 안휘성 당도현 서북쪽에 있는 강.
674) 여: 여기.

이런 재미를 알았던들 이 세상에 있을 손가?

팔난 세상을 다 버리고 퇴서방도 수궁을 가면

훨씬 벗은[679] 저 풍골[680]에 좋은 벼슬을 헐 것이요

미인미색[681]을 밤낮으로 다리고 만세동락[682]을 헐 것이요."

---

675) 채약(採藥)허든: 약초나 약재를 캐어 거두던.

676) 진시황(秦始皇): 통일국가 진(秦)을 건국한 중국 최초의 황제.

677) 구선(求仙)허든: 신선되기를 원하던.

678) 한 무제(漢 武帝): 유철(劉徹). 시호 세종(世宗). 즉위 후 어질고 겸손한 선비를 등용하고 관리의 자질을 향상시킴.

679) 훨씬 벗은: 보통보다 훨씬 뛰어난.

680) 풍골(風骨): 풍채와 골격.

681) 미인미색(美人美色): 아름다운 여인.

682) 만세동락(萬歲同樂): 오래도록 영원(永遠)히 함께 즐김.

Ⅷ. 토끼, 물 속으로

31. 자라는 앞에서 앙금앙금 (단중모리)

- 별주부 자라가 토끼를 수궁으로 데리고 가다가 여우를 만나는데 여우가 토끼에게 수궁으로 가지 말라고 한다.

[중모리]

자라는 앞에서 앙금앙금 토끼는 뒤에서 깡충깡충

원로수변[683]을 내려갈 제

건너산 바우 틈에 여우란 놈이 나앉으며

"여봐라, 토끼야!"

"와야?"

"너 어디 가느냐?"

"나 수궁 간다."

"너 수궁은 무엇허러 가느냐?"

"나 별주부 따라서 벼슬허러 간다."

"허허, 자식 실없는[684] 놈

불쌍타, 저 퇴공아.

녹록한[685] 네 놈 마음 말려 무엇허랴마는

고인[686]이 이르기를 토사호비[687]라 허였으니

너와 나와 이 산중에 암혈에 질들이고[688]

683) 원로수변(遠路水邊): 바닷가까지 가는 먼 길.
684) 실없는: 말이나 행동이 착실하거나 미덥지 않음.
685) 녹록(碌碌)한: 보잘 것 없는.
686) 고인(古人): 옛 사람.
687) 토사호비(兎死狐悲): '토끼의 죽음에 여우가 운다'는 뜻으로, '동료의 불행을 슬퍼함'을 이르는 말.
688) 암혈(巖穴)에 질들이고: 굴 속에 보금자리를 만들어 그 안에 들어 살고.

임천[689]에 같이 놀아, 풍월[690]로 벗을 삼고

비 오고 안개 낀 날 발자취 서로 찾어

동성[691] 삼아 동기상통[692] 일시 이별을 말자더니

저 지경이 웬 일이냐? 옛말을 못 들었나?

칼 잘 쓰는 위인 형가[693] 역수한파[694] 슬픈 소리

장사일거 제 못 왔고,[695] 천추 원한[696] 초회왕[697]도

진 무관에 한 번 가서 다시 오지를 못 허였구나.

가지 마라, 가지 마라!

수궁이라 허는 데는 한번 가면 다시 못 오느니라.

위방불입 난방불거[698] 허니 수궁 길을 가지마라."

---

689) 임천(林泉): 수풀과 샘물 또는 수풀 속에 있는 샘물.
690) 풍월(風月): 청풍(淸風)과 명월(明月). 곧 자연의 아름다움을 이르는 말.
691) 동성(同姓): 같은 성. 같은 종족을 의미.
692) 동기상통(同氣相通): 같은 무리끼리 서로 통함.
693) 형가(刑家): 중국 전국 시대의 자객으로, 위(偉)나라 사람.
694) 역수한풍(易水寒波): 역수의 차가운 파도. 역수는 중국에 있는 강 이름인데, '역수한파'라고 하면 일반적으로 강이나 바다에 차가운 파도가 친다는 뜻.
695) 장사일거(壯士一去) 제 못왔고: '장사가 한번 떠남이여, 다시 돌아오지 못하네' 형가(刑家)가 지은 「도역수가(渡易水歌)」의 한 구절.
696) 천추 원한(千秋 怨恨): 아주 오랜 세월 동안 가시지 않을 원한.
697) 초회왕(楚懷王): 춘추 전국시대 초나라의 회왕.
698) 위방불입 난방불거(危邦不入 亂方不去): '위험한 곳에 들어가지 아니하고, 어지러운 나라에서는 살지 말라'는 뜻

32. 수궁천리 머다 마소 (중모리)

- 토끼가 여우 말을 듣고 주저하자, 별주부 자라가 토끼를 설득하여 수궁으로 출발한다.

[아니리]

"여보시오, 별주부.

우리 여우 사촌 아니었더라면 하마터면 큰일 날 뻔했소."

별주부 기가 막혀

"여보 퇴공! 올 테면 오고 말 테면 마시오 마는

저놈 심술이나 한번 들어보시오.

먹을 데는 지가 앞을 서서 가고

죽을 데는 퇴서방을 앞세워 갈 것이오.

더군다나 내일 아침 김포수 날랜 총알, 꾸르르르 탕!"

"어허, 그분 탕 소리는 빼래도.

그렇다고 내 아니 갈 리가 있겠소마는

여기서 수궁이 얼마나 되오?"

별주부가 또다시 구변[699]을 내는디

[중모리]

"수궁 천 리 머다 마소.

맹자도 불원천리[700] 양혜왕을 가 보았고[701]

---

699) 구변(口辯): 말솜씨나 말재주. 언변(言辯).

700) 불원천리(不遠千里): 천리를 멀다 않음.

701) 맹자도 불원천리 양혜왕(不遠天里 梁惠王)을 가 보았고: 나라를 부흥시키고 천하의

위수 어부 강태공[702]도 문왕 따라 입주[703]를 허고

한기도창[704] 촉도난[705]의 황면장군[706] 한신[707]이도

소하[708] 따라 한중[709] 가서 대장단[710]에 올랐으니

퇴서방도 나를 따라서 우리 수궁을 들어가면

좋은 벼슬을 헐 것이니 염려 말고 따러 갑세."

"그러면은 갑세."

강상을 바라보니, 도용도용[711] 떴난 배는

한가헌 추강[712] 어부 풍월 실러 가는 밴지?

십리 장강 벽파상[713]의 왕래를 허든 거룻밴[714]지?

오호상 연월 속의 범상공 노던 밴가?[715]

동강칠리탄[716]의 엄자룡[717]의 낚시 밴가?

인재를 불러들이니, 맹자가 천리를 멀다고 여기지 않고 추나라에서 양혜왕을 찾아가 인의(仁義)로 왕도를 설명했으나, 왕은 자기 주장과 맞지 않다하여 채용하지 않음.

702) 위수 어부 강태공(渭水 漁夫 姜太公): 문왕을 만나 등용되기 이전, 위수에서 낚시질을 하고 있던 강태공을 가리킴.
703) 입주(入周): 강태공이 문왕을 따라 주나라에 들어간 것을 가리킴.
704) 한기도창(漢旣渡倉): '한나라 군대를 거느리고 진창을 이미 건넜다'는 뜻.
705) 촉도난(蜀道難): '촉나라 가는 험한 길'이라는 뜻.
706) 황면장군(黃面將軍): 한신의 얼굴이 누렇다하여 붙어진 별명.
707) 한신(韓信): 중국 한고조 유방(劉邦)의 신하.
708) 소하(蕭何): 한 고조 유방의 참모로, 한신을 천거하여 도원수로 삼게 했다.
709) 한중(漢中): 중국 섬서성 남서쪽 한강(漢江) 북안에 위치한 땅.
710) 대장단(大將壇): 장수가 지휘를 위해 위치하는 단.
711) 도용도용(滔溶滔溶): 넘실넘실.
712) 추강(秋江): 가을 강.
713) 십리 장강 벽파상(十里 長江 碧波上): 폭이 십 리나 되는 양자강의 푸른 물결 위.
714) 거룻배: 돛을 달지 않은 작은 배.
715) 오호상 연월(五湖上 煉月)속의 범상공(范相公) 노던 밴가?: 오호의 안개 자욱한 달밤에 범상공이 타고 놀던 배인가.
716) 동강칠리탄(桐江七里灘): 중국 절강성에 있는 여울인데, 엄자릉이 낚시하던 곳으로 유명함.
717) 엄자룡(嚴子龍): 후한 시대의 선비.

양양창파[718] 노니난 디 쌍쌍백구[719]가 줄이 떴네.

“소소추풍송안군[720]의 슬피 우는 저 기럭아

니 어디로 행하느냐? 소상[721]으로 행하느냐?

동정[722]으로 가랴느냐?

가지 말고 게 잠깐 머물러 나의 한 말 듣고 가거라.

백운청산[723] 놀든 토끼가 수궁 천리 내가 들어가드라고

우리 벗님 앵무전[724] 그 말 쪼끔 부디 전하여라.“

잔말[725]을 허고 내려갈 제

그 날사 말고[726] 풍일[727]이 사나와

물결이 워르르르 출렁 쐐에, 뒤뚱거려[728] 흘러간다.

---

718) 양양창파(洋洋滄波): 한없이 넓고 큰 바다의 푸른 물결.
719) 쌍쌍백구(雙雙白鷗): 암수가 둘씩둘씩 짝을 이룬 갈매기.
720) 소소추풍송안군(蕭蕭秋風送雁群): 쓸쓸한 가을 바람이 기러기떼를 날려보내다. 당나라 시인 유우석(劉禹錫)의 시 <추풍인(秋風引)>의 ‘何處秋風送雁群(어디서 오는 가을 바람이 쓸쓸한 기러기떼를 보내는가)’에서 따온 구절.
721) 소상(瀟湘): 중국 호남성 동정호의 남쪽에 있는 소수와 상강을 아울러 이르는 말.
722) 동정(洞庭): 동정호. 중국 호남성 북부에 있는 중국 제일의 호수.
723) 백운청산(白雲靑山): 흰 구름 속에 싸인 푸른 산.
724) 앵무전(鸚鵡前)의: 앵무새에게.
725) 잔말: 잔소리. 쓸데없이 자질구레하게 되풀이하는 말.
726) 그 날사 말고: 그 날에야 말로. 하필이면 그 날에.
727) 풍일(風日): 풍양(風陽). 바람과 볕. 날씨.
728) 뒤뚱거려: 묵직한 물건이 이쪽저쪽으로 느리게 기울어지면서 흔들거려.

33. 범피중류 (진양조)
- 별주부 자라가 토끼를 업고, 가다가 소상팔경을 구경하면서 수궁으로 들어간다.

[아니리]

그 날사 말고 풍일이 사나와
물결이 워르르르 출렁출렁허니
토끼 기가 막혀
"아이고, 저 물 좀 보아라.
내가 저 물속에 들어가서 용왕이 된다 해도 정말 못 가것소."
이놈이 따땃한 양지쪽을 찾어가서
그 얼굴을 좋은 반찬 토막 되작되작허고 앉았을제
별주부 기가막혀
"여보 퇴공! 아 벼슬 살러 가자는디
용당기[729] 뒷줄 땡기듯 자시는 꼴 아니꼽살스러워 못 보것소.
올 테면 오고, 말 테면 마시오마는
이 물이 얼마나 깊다고 그러시요?"
물에 들어가서 동당동당[730] 떠 노니
토끼 허는 말이
"여보시오, 별주부!
내 그렇다 아니 갈 리 있겠소마는 좋은 수가 있소.

729) 용당기(龍壋旗): 용대기(龍大旗). 일명 교룡기(蛟龍旗), 화룡대기(畵龍大期)하고도 부름.
730) 동당동당: 둥실둥실. 큰 물건이 가볍게 떠 있는 모양.

내가 버드나무가지 잡고 뒷발 담가보아

목물지면[731] 가되 더 깊으면 갈 수 있소?”

“글랑은 그리 허시오.”

이놈이 좋은 꾀 낸 체라고

버드나무가지 잡고 뒷발을 막 잠글라고 헐 적에

별주부는 물에서 나는 짐생이라,

편전살[732]과 같이 우루루루루 달려들어

토끼 뒷발목을 꽉 물고

[창조]

물속으로 울렁 울렁 울렁 들어가니

토끼 기가막혀

“아이고, 이놈아! 좀 놓아라! 나 숨 막혀 못 살것다.”

[아니리]

“야 이놈아, 아가리 벌리지 마라.

아가리 짠물 들어가면 벙어리 되느니라.

그러니 내 등에 가만히 업혀

소상팔경[733] 구경이나 허고 가자꾸나!”

---

731) 목물지면: 물의 깊이가 목에 찰 만큼만 되면.
732) 편전(片箭)살: 아기살. 짧고 촉이 날카로운 화살.
733) 소상팔경(蕭湘八景): 소수 상강 부근에 있는 여덟 가지 아름다운 경치.

[진양조]

범피중류[734] 둥덩둥덩 떠나간다.

망망헌[735] 창해[736]이며, 탕탕헌[737] 물결이로구나.

백빈주[738] 갈매기는 홍요안[739]으로 날아들고

삼강[740]의 기러기는 한수[741]로만 돌아든다.

요량헌[742] 나는 소리 어적[743] 이언마는

곡종인불견의 수봉만 푸르렀다.[744]

애내성중만고수[745]난 날로 두고 이름인가?

장사[746]를 지내가니 가태부[747]난 간 곳이 없고

멱라수[748]를 바라보니 굴삼려[749] 어복충혼[750]

무량도 허도든가.[751] 황학루[752]를 당도허니 일모향관하처시오

---

734) 범피중류(泛彼中流): 바다 한 가운데로 배가 둥실둥실 떠가는 모습.
735) 망망(茫茫)헌: 넓고 멀어 아득한.
736) 창해(滄海): 넓고 푸른 바다.
737) 탕탕(蕩蕩)헌: 넓고 큰.
738) 백빈주(白蘋洲): 흰 꽃이 피는 부평초가 가득한 물가 섬.
739) 홍요안(紅蓼岸): 단풍이 들어 붉은 대만 남은 여뀌가 가득한 언덕.
740) 삼강(三江): 중국에 있는 전당강 · 포양강 · 송강의 세 강.
741) 한수(漢水): 중국 산서성 남서부의 보중산에서 발원하는 양자강의 지류.
742) 요량(寮亮)헌: 소리가 맑아 멀리까지 들리는.
743) 어적(漁笛): 어부가 부는 피리소리.
744) 곡종인불견(曲終人不見)의 수봉(數蜂)만 푸르렀다: '노래가 끝나고 사람은 보이지 않는데 강위엔 몇몇 산봉우리만 푸르렀다' 당나라 중기의 시인 전기(錢起)가 쓴 「상령고슬(湘靈鼓瑟)」의 변용.
745) 애내성중만고수(欸聲中萬古愁): 배 젓는 소리에 만고의 수심이 어리었고.
746) 장사(長沙): 중국 호남성(湖南省)의 중심지.
747) 가태부(賈太傅): 중국 전한(前漢)의 학자로, 태부는 벼슬 이름.
748) 멱라수(汨羅水): 중국 호남성 상음현(湘陰縣) 북쪽에 있는 강.
749) 굴삼려(屈三閭): 이름은 굴평(屈平), 자는 원(源)임. 중국 초나라의 시인, 정치가.
750) 어복충혼(魚腹忠魂): 강물에 빠져 죽어 고기 뱃속에 장사지낸 굴원의 충성스런 영혼.
751) 무량(無恙)도 허시든가: 몸에 탈이나 병이 없는가.
752) 황학루(黃鶴樓): 중국 호북성(湖北省) 무창성의 황곡산에 위치한 높은 누각. 옛날 무창의 황학비위에 세워졌다하여 황학루라 부르게 되었음.

연파강상으 사인수난 최호의 유적인가?[753]

봉황대[754]를 다다르니 삼산은 반락청천외요

이수중분백로주[755]난, 이태백이 놀든 데요

심양강[756]을 들어가니

백낙천[757] 일거 후으[758] 비파성[759]도 끊어졌다.

적벽강을 그저 가랴?

소동파[760] 놀던 곳은 의구하야[761] 있다마는

조맹덕[762] 일세지웅 이금에 안재재[763]

월락오제[764] 깊은 밤에 고소성[765]에다 배를 매고

---

753) 일모향관하처시(日暮鄕關何處示)오 연파강상사인수(煙波江上使人愁)난 최호(崔灝)의 유적인가?: '해는 저무는데 고향의 관문은 어디인가? 안개가 자욱한 강 위에서 시름을 짓게 하는구나'의 뜻인 이 시구는 최호(崔灝)가 남긴 자취인가. 당나라 때 시인 최호가 쓴 「황학루」의 끝 구절.

754) 봉황대(鳳凰臺): 중국 남경성 서남쪽 산에 아름다운 새들이 많이 와 깃들여, 사람들이 봉황이라 부르고 이곳에 높은 대를 쌓아 봉황대라 이름하였다 함.

755) 삼산(三山)은 반락청천외(半落靑天外)요 이수중분백로주(二水中分白鷺洲): '세 산은 반이나 구름 속에 가려 마치 푸른 하늘 밖으로 떨어진 듯이 우뚝 솟아 있고, 금릉을 흐르는 진수와 회수는 중간에 나뉘어져 백로주를 끼고 흐른다.'
이태백이 쓴 「등금릉봉황대(登金陵鳳凰臺)」의 한 구절.

756) 심양강(尋陽江): 중국 강서성(江西省) 구강현(九江縣) 북쪽에 있는 양자강의 한 줄기로, 백낙천이 밤에 늙은 기생이 타는 비파 소리를 듣고 「비파행(琵琶行)」을 짓고 놀던 곳.

757) 백낙천(白樂天): 백거이(白居易). 중국 당나라의 시인. 시와 술과 거문고를 삼우(三友)로 삼아 취음선생((醉吟先生)이란 호를 쓰며, 또는 향산사라는 절을 보수 복원하여 향산거사(香山居士)라는 호를 쓰기도 함.

758) 일거 후(一去 後)에: 한번 간 뒤에.

759) 비파성(琵琶聲): 비파 소리.

760) 소동파(騷動破): 소식 또는 소자첨이라고도 불림.

761) 의구(依舊)하야: 옛 모습과 변함이 없이.

762) 조맹덕(曹孟德): 조조.

763) 일세지웅 이금(一世之雄 而今)에 안재재(安在哉)요: '한 시대의 영웅이여 지금은 어디 있는가'의 뜻으로 식이 쓴 「적벽부」의 한 구절.

764) 월락오제(月落烏諦): 달은 지고 까마귀가 욺.

765) 고소성(故蘇成): 중국 강소성 오현(吳縣)의 소주(蘇州) 서남쪽에 있으며, 고서산(故胥山). 고여(故餘)라고도 함.

한산사[766] 쇠북소리는 객선[767]의 뎅뎅 들려온다.

진회수[768]를 바라보니

격강의 상녀들은 망국한[769]을 모르고서

연롱한수월롱사[770]에 후정화[771]만 부르렀다.

소상강 들어가니

악양루[772] 높은 집에 호상[773]의 높이 떴다.

동으로 바래보니

삼백 척 부상[774]까지 일륜홍이 어려있고[775]

바다가 뒤끓으며[776] 어룡이 출몰[777]허고

한 곳을 당도허니

금고[778]소리가 쨍그랭 쨍 들리거날

눈을 들어 살펴보니 흰 옥[779] 현판[780]에 황금 대자[781]로

'남해 수궁 수정문'이라 둥두렷이 새겼난디

---

766) 한산사(寒山寺): 중국 강소성 오현에 있는 사찰로 한산과 습득(拾得)이라는 도승이 이 절에 있다하여 유래됐으며, '풍교사(楓橋寺)'라고도 함.
767) 객선(客船): 나그네가 탄 배.
768) 진회수(秦淮水): 중국 남경(南京)을 지나 양자강으로 흐르는 진수와 회수를 이름.
769) 망국한(亡國恨): 나라 망한 슬픔.
770) 월롱한수월롱사(煙籠寒水月籠沙): 안개는 차가운 강물 위에 자욱하고, 달빛은 모래밭에 빛나는데. 당나라 때 시인인 두목(杜牧)의 <박진회(泊秦淮)>의 한 구절.
771) 후정화(後庭花): 중국 남북조시대 진(秦)나라의 후주가 만든 노래의 이름.
772) 악양루(岳陽樓): 중국 호남성 악양시 서북쪽 동정호의 고성 위에 위치하고 있으며, 무한의 황학루와 남창의 등왕각과 함께 강남 3대 명루로 꼽힘.
773) 호상(湖上): 호수의 위.
774) 부상(扶桑): 해 뜨는 곳. 혹은 해 뜨는 곳에 있다는 상상의 뽕나무.
775) 일륜홍(一輪紅)이 어려 있고: 붉은 해가 비쳐져 있고.
776) 뒤끓으며: 한데 뒤섞여 마구 심하게 끓으며.
777) 출몰(出沒): (괴상한 것이) 나타났다 숨었다 함.
778) 금고(金鼓): 고대 중국 군중(軍中)에서 지휘하는 신호로 쓰던 징과 북.
779) 흰 옥(玉): 흰 빛깔의 옥.
780) 현판(懸板): 글씨나 그림을 새기거나 써서 문 위의 벽 같은 곳에 다는 널조각.
781) 황금대자(黃金大字): 황금빛으로 쓴 큰 글자.

토끼가 보고서 좋아라고 헌다.

Ⅸ. 토끼, 위기에 처하다

34. 좌우 나졸 (자진모리)

- 수궁에서 토끼를 나졸들이 잡아들이자, 토끼는 자신이 토끼가 아니라고 부인한다.

[아니리]

“아닌게 아니라, 대체 좋소, 좋아.

어서 들어가서 나 훈련대장[782] 꼭 살게 해 주시오.”

“글랑은 그리 허시오.

그런디 여기 가만히 앉어 계시다가

‘토끼 잡아 들여라’허거든 놀래지 마시오.”

“어찌 그렇단 말이요?”

“이 세상[783] 같고 보면

‘훈련대장 입시[784] 들이라’하는 그 말이오.”

“그 법 참 말질 법[785]이요.

내가 훈련대장 허거드면 그 법을 딱 뜯어 고칠라요.”

“글랑은 그리 허시오.”

그때여 별주부는 영덕전 너룬[786] 뜰에

공손히 복지하야[787] 여짜오되

---

782) 훈련대장(訓鍊大將): 훈련도감(訓鍊都監)의 종 2품 주장(主將). ‘훈련도감’은 수도를 경비하고, 삼수(三手)의 무예를 훈련하는 곳이며, ‘주장’은 한 군대의 으뜸가는 장수를 말함.

783) 세상: 여기서는 인간이 사는 세상을 가리킴.

784) 입시(入侍): 대궐에 들어가 임금을 찾아뵙던 일.

785) 말질(末質)법: 아주 질이 낮은 법.

786) 너룬: 넓은.

787) 공손(恭遜)히 복지(伏地)허여: 예의 바르고 겸손히 땅 위에 엎드려.

"만리 세상 나갔던 별주부 현신[788]이요."

용왕이 반기허사

"수로 만 리를 무사히 다녀왔으며, 토끼는 어찌허고 왔는고?"

"예, 토끼를 생금[789]하야 궐문 밖에 대령허였나이다."

"그럼, 토끼를 빨리 잡아들이도록 하여라."허고 영을 내려노니

[자진모리]

좌우 나졸, 금군[790] 모조리, 순령수[791]

일시에 내달아 토끼를 에워쌀 제

진황 만리장성 쌓듯,[792] 산양 싸움에 마초 싸듯[793]

첩첩이 둘러쌓고, 토끼 들이쳐 잡는 거동

영문출사[794] 도적 잡듯

토끼 두 귀를 꼭 잡고, "네가 이놈 토끼냐?"

토끼 기가막혀 벌렁벌렁 떨며

"토끼 아니요!"

"그러면 니가 무엇이냐?"

"개요!"

---

788) 현신(現身): 아랫사람이 웃사람에게 몸을 나타냄.
789) 생금(生擒): 산 채로 잡음. 생포(生捕).
790) 금군(禁軍): 고려·조선시대에 궁중을 지키고 임금을 호위하던 군대.
791) 순령수(巡令手): 대장의 명령을 전하고 호위를 맡으며, 순시기(巡視旗), 영기를 들던 군사.
792) 진황 만리장성(秦皇 萬里長城) 쌓듯: 진시황이 만리장성을 쌓듯.
793) 산양(山陽) 싸움에 마초(馬超) 싸듯: 삼국지를 토대로 해서 쓴 고소설『산양대전』에서 마초가 조조의 부하 장수 한효에게 포위당한 일을 가리키며 마초는 관우의 도움으로 풀려났음.
794) 영문출사(營門出使): 병영에서 군사를 내보냄.

"개 같으면은 더욱 좋다.

삼복달음[795]에 너를 잡아 약개장[796]도 좋거니와

니 간을 내여 오계탕[797] 달여[798] 먹고

니 껍질 벳겨 내여 잘량[799] 모아 깔게 되면

어혈[800] 내종[801] 혈담[802]에는 만병회춘[803]으 명약이라.

이 강아지 몰아가자!"

"아이고, 내가 개도 아니오!"

"그러면 네가 무엇이냐?"

"송아지죠!"

"소 같으면은 더욱 좋다. 도판[804]에 너를 잡아

두피족,[805] 살찐 다리 양,[806] 회간,[807] 천엽,[808] 콩팥

후박없이[809] 노놔[810] 먹고 니 뿔 빼어 활도 매고

니 가죽 벳겨내어 신도 짓고, 북도 매고

---

795) 삼복(三伏)달음: 복달임, 복날에 그 해의 더위를 물리치기 위해 고기 국을 끓여 먹는 일.
796) 약개장: 약을 넣어 끓인 개장국.
797) 오계탕(烏鷄湯): 털 빛깔이 모두 까만 닭인 오골계를 푹 삶아 고은 탕.
798) 달여: (약제나 약초 따위를) 물에 넣고 끓여 우러나게 하여.
799) 잘량: '개잘량'의 준말. 방석처럼 앉기 위해 털이 붙어 있는 채로 제피(製皮)한 개가죽.
800) 어혈(瘀血): 무엇에 부딪치거나 타박을 입어 한곳에 퍼렇게 피가 맺혀 있는 증세 또는 그 피.
801) 내종(內腫): 한방에서 ' 내장에 생긴 종기'를 이르는 말.
802) 혈담(血痰): 피가 섞여 나오는 가래.
803) 만병회춘(萬病回春): 온갖 병이 낫고 노쇠(老衰)한 몸이 다시 젊어짐.
804) 도판(屠板): 소 잡는 곳.
805) 두피족(頭皮足): 일반적으로 잡은 소의 머리와 가죽, 네 발을 아울러 이르는 말.
806) 양(𦝺): 소의 위(胃)를 고기로 이르는 말.
807) 회간(膾肝): 회쳐먹는 간.
808) 천엽(千葉): 소나 양 등 반추류에 딸린 동물의 되새김질하는 위의 한 부분.
809) 후박(厚薄)없이: 후하거나 박함이 없이 차이 없게 골고루. 똑같이.
810) 노놔: 나누어.

똥 오줌은 거름을 허니 버릴 것 없나니라.

이 송아지 몰아가자!"

토끼가 생각을 허니

"날도 뛰도 못허고 꼼짝딸싹 없이 죽것구나.

아이고, 내가 소도 아니오!"

"그러면 니가 무엇이냐?"

"망아지죠!"

"말 같으면 더욱 좋다.

선간목후간족[811]이라, 요단항장천리마리라.[812]

연왕도 오백금으로 죽은 뼈 사갔으니[813]

너를 산 채 몰아다가 대왕전에 바쳤으면

천금상을 아니 주랴? 들거라. 우!"

토끼를 결박[814]하야 빨그란 주장대[815]로 쿡 찔러 들어메니,

토끼 하릴없이 대랑대랑 매달려

"아이고, 이놈 별주부야!"

---

811) 선간목후간족(先看目後看足): 말 장사가 말을 고를 때 쓰는 방법으로 먼저 눈이 어떻게 생겼는가를 본 다음 발의 생김새를 본다는 뜻.

812) 요단항장천리마(腰短項長千里馬)로다: 허리가 짧고 목이 길게 생긴 천리마로다.

813) 연왕(燕王)도 오백금으로 죽은 뼈 사갔으니: 전국시대에 연나라 소왕(昭王)이 곽외에게 어진 신하 구하는 방법을 묻자, 곽외가 말하기를, "옛날 어느 왕이 신하에게 천금을 주면서 천리마를 사오라고 했는데, 그 신하는 오백금을 주고 죽은 말 뼈를 사가지고 왔습니다." 왕이 연유를 묻자, "죽은 말의 뼈도 오백금을 준다는 소문이 나면, 살아있는 천리마라면 얼마를 줄지 모른다고 여기고 곧 좋은 말이 몰려들 것이라고 하였답니다. 과연 일 년이 되지 않아 좋은 말들을 가지고 오는 사람이 많아져 천리마를 세 마리나 얻게 되었습니다. 왕께서는 주위에 있는 어진 선비들부터 좋은 대우로 모십시오. 그러면 천하의 인재들이 몰려들 것입니다"라고 하자 과연 인재들이 연나라로 몰려들었다는 고사를 인용한 것임.

814) 결박(結縛): 몸이나 손 따위를 마음대로 움직이지 못하게 단단히 동이어 묶음.

815) 주장(朱杖)대: 붉은 칠을 한 몽둥이, 매질하는 몽둥이나 주릿대 따위를 썼음.

"와야?"

"나 탄 게 이게 무엇이냐?"

"오 그거 수궁 남여[816]라 허는 것이다."

"아이고, 이 급살을 맞을[817] 녀러 남여

두 번만 타거드면 옹두리뼈[818]도 안 남겄네."

토끼를 결박하야 영덕전 너른 뜰 동댕이쳐[819]

"예, 토끼 잡아 들였소!"

35. 말을 허라니 허오리다 (중모리)

- 용왕이 토끼 배를 가르라고 하니, 토끼가 꾀를 내어 자신의 뱃속에 간이 없다고 둘러댄다.

[아니리]

토끼 잡혀 들어가 사면을 살펴보니

강한지장[820]과 천택지신[821]이 좌우로 옹위[822]를 하였거늘

토끼 두 눈만 깜작깜작허고 있을 적에, 용왕이 분부하시되

"너 토끼 듣거라! 내 우연 득병하여 명의더러 물은 즉

---

816) 남여(藍輿): 뚜껑이 없는 의자처럼 생긴 작은 가마의 하나. 앞, 뒤 각각 두 사람이 어깨에 메게 되어 있음.

817) 급살(急煞)을 맞일: 별안간 죽을.

818) 옹두리뼈: 짐승의 정강이에 불룩하게 튀어나온 뼈.

819) 동댕이쳐: 힘껏 내던져.

820) 강한지장(江漢之將): 양자강과 한수를 지키는 장수. 강물에 사는 물고기를 의인화한 표현.

821) 천택지신(川澤之臣): 내와 연못에 사는 신하. 냇물과 연못에 사는 물고기를 의인화 한 표현.

822) 옹위(擁衛): 부축하여 좌우로 호위함.

니 간이 으뜸이라 하기로, 우리 수궁의 어진 신하를 보내여

너를 잡아 왔으니 죽노라 한을 마라!"

토끼가 생각허기를

"저 놈한테 속절없이[823] 끌려와서 꼭 죽게 되었구나."

한 꾀를 얼른 내어 아무 의심없이 배를 척 내밀며

"자아, 내 배 따 보시오!"

용왕이 생각허시기를

"저 놈이 배를 안 따일려고

무수히 잔말[824]이 심할 터인디

저리 의심없이 배를 척 내미는 것이

필유곡절[825] 이로구나.

야 이놈아! 니가 무슨 말이 있거든

말이나 허고 죽으려무나."

"아니요! 내가 말해도 곧이 아니 듣지 않으실 터이니

어서 내 배나 따보시오!"

"야, 이놈아. 니가 무슨 헐 말이 있거든

말이나 허고 죽으려무나!"

823) 속절없이: 단념할 수밖에 딴 도리가 없이.
824) 잔말: 쓸데없이 자질구레하게 되풀이하는 말. 잔소리.
825) 필유곡절(必有曲折): 반드시 무슨 까닭이 있음.

[중모리]

"말을 허라니 허오리다. 말을 허라니 허오리다.

태산이 붕퇴[826]허여 오성[827]이 음음헌디[828]

시일갈상[829] 노래 소리 탐학한[830] 상주임군[831]

성현[832]의 뱃속에 칠궁기[833]가 있다기로

비간[834]의 배를 갈라 무고히 죽였으나 일곱 궁기[835] 없었으되

소퇴도 배를 갈라 간이 들었으면 좋으려니와

만일에 간이 없고 보면은, 불쌍한 퇴명만[836] 끊사오니

뉘를 보고 달라허며, 어찌 다시 구허리까?

당장의 배를 따서 보옵소서!"

용왕이 듣고 진노[837]허여

"이 놈! 니 말이 모두 다 당치않은 말이로구나.

의서[838]에 이르기를 비수병즉구불능식[839]허고

담수병즉설불능언[840]허고

826) 태산(泰山)이 붕퇴(崩頹): 큰 산이 허물어지고 무너짐.
827) 오성(五星): 풍수지리설에서 하늘의 형체를 이룬다는 다섯 별자리. (水·火·土·金·木星)
828) 음음(陰陰)헌디: 모두 가려서 아주 어두운디.
829) 시일갈상(時日害喪): '언제 해가 사라질까'라는 뜻으로 『서경(書經)』에 나오는 말.
830) 탐학(貪虐)한: 욕심이 많고 포악한.
831) 상주임군: '상주(商紂)임금'의 잘못. 상나라, 곧 은(殷)나라 마지막 임금인 폭군 주(紂)를 말함.
832) 성현(聖賢): 성인과 현인. 지혜와 덕이 뛰어난 사람.
833) 칠궁기: 일곱 구멍.
834) 비간(比干): 은나라 때의 충신. 주(紂)의 잘못을 깨우쳐 주려다 죽임을 당했음.
835) 일곱 궁기: 일곱 구멍
836) 퇴명만: 토명(兎命)만. 토끼의 목숨만.
837) 진노(震怒): (존엄하게 여기는 대상이) 몹시 화를 냄.
838) 의서(醫書): 의술(醫術)을 적은 책. '의술'은 병을 고치는 기술을 말함.
839) 비수병즉구불능식(脾受病則口不能食): 지라(비장)에 병이 나면 입으로 음식을 먹지 못함.
840) 담수병즉설불능언(擔受病則舌不能言): 쓸개에 병이 나면 혀로 말하지 못함.

신수병즉이불능청[841]허고

간수병즉목불능시[842]라.

간이 없고야 눈을 들어 만물을 보느냐?"

"소퇴가 아뢰리다.

소퇴의 간인즉 월륜정기[843]로 삼겼삽더니

보름이면 간을 내고 그믐이면 간을 들이내어

세상의 병객[844]들이 소퇴 곧 얼른허면[845]

간을 달라고 보채기로[846]

간을 내어 파초[847] 잎에다 꼭 꼭 싸서

칡으로 칭칭 동여 영주석상[848] 계수나무

늘어진 상상가지 그 끄트리[849]에 달아매고

도화유수 옥계변[850]의 탁족허러[851] 내려왔다

우연히 주부를 만나 수궁 흥미가 좋다기로

완경차로[852] 왔나이다."

용왕이 듣고 화를 내며

"이놈! 니 말이 모두 다 당치않은 말이로구나.

---

841) 신수병즉이불능청(腎受病則耳不能聽): 콩팥(신장)에 병이 나면 귀로 소리를 듣지 못함.
842) 간수병즉목불능시(肝受病則目不能視): 간에 병이 나면 눈으로 보지 못함.
843) 월륜정기(月輪精氣): 둥근 달에 갖추어져 있는 순수한 기운.
844) 병객(病客): 포병객(抱病客). 늘 병을 지니고 있어 항상 앓고 있는 사람.
845) 얼른허면: '언뜻하면'의 방언. 무엇이 잠깐 눈앞에 나타나기만 하면.
846) 보채기로: 무엇을 졸라대어 귀찮게 굴기 때문에.
847) 파초(芭蕉): 파초과의 여러해살이 풀.
848) 영주석상(瀛州石上): 중국 전설에 나오는 삼신산 중 하나인 영주산의 바위 위.
849) 끄트리: '끝'의 방언.
850) 도화유수 옥계변(桃花流水 玉溪邊): 복숭아꽃이 흐르는 물에 떠내려 오는 옥같이 맑은 시냇가.
851) 탁족(濯足)하러: 발을 씻으러.
852) 완경차(玩景次)로: 구경하러.

사람이나 짐생이나 일신지내장[853]은 다를 바가 없는디
어찌 네 간을 내고 들이고 임의[854]로 출입을 헌단 말이냐?"
토끼가 당돌히 여짜오되
"대왕은 지기일이요 미지기이로소이다[855]
복희씨는 어이하야 사신인수가 되았으며[856]
신롱씨 어쩐 일로 인신우두가 되았으며[857]
대왕은 어이하야 꼬리가 저리 지드란[858]허옵고
소퇴는 무슨 일로 꼬리가 요리 묘똑허옵고
대왕의 옥체[859]에는 비늘이 번쩍번쩍
소퇴의 몸에난 털이 요리 송살송살
까마귀로 일러도 오전 까마귀 쓸개 있고
오후 까마귀 쓸개 없으니
인생 만물[860] 비금주수[861]가 한 가지라
뻑뻑[862] 우기니 답답치 아니 허오리까?"
용왕이 듣고 돌리느라고
"그러허면 니 간을 내고 들이고 임의로 출입허는 표가 있느냐?"

---

853) 일신지내장(一身之內臟): 한 몸 속의 내장.
854) 임의(任意): 제한 없이 마음 먹은대로 하는 일.
855) 지기일(知其一)이요 미지기이(未知其二)로소이다: 하나만 알고 둘은 모르나이다.
856) 복희씨(伏羲氏)는 어이하야 사신인수(蛇身人首)가 되았으며: 복희씨는 어떻게 해서 뱀의 몸에다 사람의 얼굴을 한 모습이 되었으며.
857) 신롱씨(神農氏)는 어쩐 일로 인신우두(人身牛頭)가 되았으며: 위인인 신농씨는 어떻게 해서 몸은 사람이되, 머리에 뿔이 있는 소의 모습이 되었으며.
858) 지드란: '길고'의 방언.
859) 옥체(玉體): 임금의 '몸'을 높여 이르는 말.
860) 만물(萬物): 우주에 존재하는 모든 것.
861) 비금주수(飛禽走獸): 날짐승과 길짐승. 즉 모든 동물.
862) 뻑뻑: 어거지로 고집스럽게.

"예! 있지요."

"어디보자!"

"자아, 보시오!"

빨그런 궁기[863]가 서이 늘어 있거날

"저 궁기 모두 다 어쩐 내력이냐?"

"예, 내력을 아뢰리다.

한 궁기는 대변 보고, 또 한 궁기로는 소변 보고

남은 궁기로는 간 내고 들이고

임의로 출입을 허나이다."

"그러허면 네 간을 어데로 넣고, 어데로 내느냐?"

"입으로 넣고, 밑궁기로 내오니

만물시생[864] 동방삼팔목[865]

남방이칠화,[866] 서방사구금[867]

북방일륙수,[868] 중앙오십토[869]

천지음양,[870] 오색광채,[871] 아침 안개

---

863) 궁기: '구멍'의 방언.
864) 만물시생(萬物始生): 온갖 물건 즉, 삼라만상(森羅萬象)이 비로소 생김.
865) 동방삼팔목(東方三八木): 풍수지리(風水地理)에서 오행의 하나인 '木'은 천수인 3과 지수인 8이 합쳐져서 생겼으며, 동쪽을 가리킴.
866) 남방이칠화(南方二七火): 풍수지리에서 오행의 하나인 '火'는 천수인 2와 지수인 7이 합쳐져서 생겼으며, 남쪽을 가리킴.
867) 서방사구금(西方四九金): 풍수지리에서 오행의 하나인 '金'은 천수인 4와 지수인 9가 합쳐져서 생겼으며, 서쪽을 가리킴.
868) 북방일륙수(北方一六水): 풍수지리에서 오행의 하나인 '水'는 천수인 1과 지수의 6이 합쳐져서 생겼으며, 북쪽을 가리킴.
869) 중앙오십토(中央五十土): 풍수지리에서 오행의 하나인 '土'는 천수인 5와 지수인 10이 합쳐져서 생겼으며, 중앙을 가리킴.
870) 천지음양(天地陰陽): 역학(易學)에서 우주 만물을 이룬다고 생각하는 상반된 성질을 가진 두 가지의 기(氣)로서 음(陰)과 양(陽).
871) 오색광채(五色光彩): 청(靑)·황(黃)·적(赤)·백(白)·흑(黑) 오색의 아름답고 찬란하게 빛

저녁 이슬을 화하야[872] 입으로 넣고 밑궁기로 내오니
만병회춘의 명약[873]이라. 으뜸 약이 되나이다."
"미련터라, 저 주부야.
세상에서 날 보고 이런 이야길[874] 허였으면
간을 팥낱만큼[875] 떼여다가 대왕 병도 즉차[876]허고
너도 충성이 나타나서 양주[877] 양합[878]이 좋을 것을.
미련허드라, 저 주부야.
만시지탄[879]이 쓸 데가 없네."

나는 빛.
872) 화(和)하야: 조화를 이루어.
873) 명약(名藥): 효험이 뛰어난 약. 이름난 약.
874) 이야길: 이야기를.
875) 팥낱만큼: 팥알만큼.
876) 즉차(卽瘥): 병이 곧 나음.
877) 양주(兩主): 부부를 이르는 말로, 여기서는 '두 사람'이라는 뜻으로 썼음.
878) 양합(兩合): 둘이 서로 마음이 일치함.
879) 만시지탄(晩時之歎): 시기가 뒤늦었음을 안타까워하는 탄식.

X. 수궁 풍류 (風流)

36. 왕자진의 봉피리 (엇모리)
- 용왕은 토끼의 말을 믿고, 큰 잔치를 베풀어 즐기도록 한다.

[아니리]

토끼가 어찌 궤변[880]을 잘 늘어놨든지
용왕이 딱 돌렸던가 보더라.
"여봐라, 퇴공을 내어 전상[881]에 앉혀라.
여보, 퇴공! 내가 잠시 농한 것은
전장에 나가면 당길지 못 당길지
간담[882]을 보기 위하여 그런 것이니
너무 언찮게 생각 말게나."
토끼가 생각허기를 용왕 배 따 죽일 일이로되
"무삼 그럴 리가 있으리오?"
"여봐라, 차담상[883] 들여오고
수궁풍류를 들려 드리도록 하여라!"
차담상 들어오니, 앵무병 유리배에 천일주 가득 부어
용왕이 주인지도리[884]로 이삼 배 자신 후에
토끼도 빈 뱃속에다 술 두 서너 잔 먹어 노니
이놈이 취흥이 도도하야 제 손세[885] 용왕께 농을 한 번 청하것다

880) 궤변(詭辯): 상대방을 속이려고 체계를 세워 그럴 듯이 꾸민 거짓 추론. 둘러대는 말.
881) 전상(殿上): 전각이나 궁전의 자리 위.
882) 간담(肝膽): 간과 쓸개. 속마음.
883) 차담상(茶啖床): 손님 대접으로 음식을 차려 내는 교자상.
884) 주인지도리(主人之道理): 주인으로서의 도리.
885) 손세: 손수.

"여보시오, 용왕님!
내가 세상에서 동의보감을 많이 봤지만은
토끼 간이 약 된단 말은 금시초문이로구만!
아차차차차, 춘치자명[886]이로구나."
뜻밖에 수궁 풍류가 낭자[887]헐 제

[엇모리]

왕자 진[888]의 봉피리[889]
곽처사[890] 죽장고[891] '쩌지렁 쿵 정저쿵.'
성연자[892] 거문고 '시르렁 덩 둥덩둥.'
장자방의 옥통소[893] '띳띠루 띠루 띠루디.'
혜강의 해금[894]이며, 완적의 휘파람[895]
격타고 취용적,[896] 능파사,[897] 보허사[898]

---

886) 춘치자명(春雉自鳴): 봄날 꿩이 제 울음 때문에 들켜 죽었다는 말.
887) 낭자(狼藉): 매우 어지럽게 여기저기 함부로 흩어져 있음.
888) 왕자 진(王子 晋): 주나라 영왕(靈王)의 태자(太子)이며, 피리를 잘 불었다고 함.
889) 봉(鳳)피리: 왕자 진이 피리를 잘 불었는데, 특히 봉황의 소리를 잘 내어서 붙여진 표현.
890) 곽처사(郭處士): 당나라 무종 때의 곽도원(郭道原)이 악기인 격구(擊毆) 치는 솜씨가 뛰어났음.
891) 죽장고(竹杖鼓): 당나라 때에 성행한 악기의 하나로, 사발 열두 개에다 물의 양을 저마다 다르게 담아 놓고 쇠붙이로 두드려서 묘한 소리를 내게 한 격구가 있었는데, 그 소리는 우리나라 악기인 질장구와 비슷했다고 함. '죽장고'는 '질장구'가 변하여 된 말인 듯함.
892) 성현자(成連子): 중국 춘추시대의 거문고 명인.
893) 장자방(張子房)의 옥통소(玉洞簫): 장양이 한나라 유방을 도와 초나라를 칠 때, 해하(垓下)싸움에서 달밤에 옥통소를 구슬프게 불어 초나라 항우의 군사들이 고향 생각에 젖어 모두 흩어지게 한 뒤 크게 이겼다고 하는, 장량(張良)의 고사에서 나온 표현.
894) 혜강(嵇康)의 해금(奚琴): 혜강이 해금을 잘 연주했다는 고사에서 나온 표현.
895) 완적(阮籍)의 휘파람: 완적이 술 마시고 휘파람으로 노래를 잘하여 유명해졌다는 고사에서 생긴 표현.

우의곡,[899] 채련곡,[900] 곁들여서 노래헐 제
낭자헌 풍악[901]소리 수궁이 진동허네.
토끼도 신명 내어[902]

37. 앞내 버들은 (중중모리)
- 토끼가 촐랑촐랑거리며 춤을 추고 논다.

[아니리]

앞 발을 뫼 산자 뽄으로 뻔쩍 추켜들고
이놈이 춤을 덩실덩실 추고 한번 놀아 보는디

[중중모리]

앞내 버들은 청포장[903] 두르고 뒷내 버들은 유록장[904] 둘러
한 가지 찌여지고,[905] 또 한 가지는 펑퍼져

---

896) 격타고 취용적(擊鼉鼓 吹龍笛): '악어가죽으로 만든 북을 치고 용의 울음소리를 내는 피리를 불고'. 당나라 시인 이하(李賀)가 쓴 「장진주(將進酒)」의 한 부분임.
897) 능파사(凌波詞): 선교(仙敎)에서 부르는 노래의 하나로, 능파곡(凌波曲)이라고도 함.
898) 보허사(步虛詞): 선교에서 부르는 노래의 하나로, 신선인 보허자(步虛子)의 이름을 딴 것임. 원래의 곡명은 <보허자(步虛子)>이며, 영조 이후 무용 반주음악으로 쓰인 관악(管樂) 보허자와 구분하기 위해 보허사라 함.
899) 우의곡(羽衣曲): '우의'란 신선의 비상함을 의미하며, 우의곡은 요곡명으로서 당나라 현종이 지은 노래.
900) 채련곡(採蓮曲): 중국 양나라 때부터 내려오던 당나귀 24악곡 중의 하나인 강남롱(江南弄) 속에 들어 있는 악곡.
901) 풍악(風樂): 우리나라 고유의 옛 음악
902) 신명 내어: 흥겨운 신과 멋을 내어.
903) 청포장(靑布帳): 푸른빛의 천으로 만든 휘장.
904) 유록장(柳綠帳): 봄철의 버들잎 색깔의 휘장. 여기서는 '가지가 휘늘어져 있는 수양버들'을 이르는 말.
905) 찌어지고: '찢어지고'의 방언. 찢어지도록 휘늘어지고.

춘비춘흥[906]을 못 이기여, 바람 부는 대로, 물결치는 대로

흔들흔들 흔들흔들 흔들흔들 흔들흔들 노닐 적에

어머니는 동우[907]를 이고, 아버지는 노구[908]를 지고

노고지리 지리 노고지리.

앞발을 번쩍 추켜들더니 촐랑촐랑[909]이 노닌다.

38. 별주부가 울며 여짜오되 (중중모리)

- 별주부가 토끼의 배를 가르자고 용왕에게 애원하니, 토끼가 배를 가르라고 큰소리 친다.

[아니리]

이리 한참 노닐 적에

대장 범치[910]란 놈이 토끼 뒤를 졸졸 따라다니다가

'촐랑촐랑' 소리를 듣더니

"아따, 야들아! 토끼 뱃속에 간 들었다!"허고 고함을 질러노니

토끼란 놈 깜짝 놀라 주저앉으며

"이크, 시러베아들[911]놈이 내 뱃속에 간 들었다 하느냐!

아, 못 먹는 술을 빈 뱃속에다가 두 서너 잔 부었더니

아마 촐랑촐랑허는 모냥[912]이다."

---

906) 춘비춘흥(春悲春興): 봄 날의 즐거움.
907) 동우: '동이'의 전남방언. 질그릇의 한가지로 양 옆에 손잡이가 있으며, 둥글고 아가리가 넓음.
908) 노구: 놋쇠나 구리쇠로 만든 작은 솥, 아무 곳이나 옮겨서 걸고 쓸 수 있는 솥.
909) 촐랑촐랑: 체신없이 까불며 방정 맞게 행동하는 모양.
910) 범치: '망둥이'의 방언, '망둥이'는 망둥이과의 바닷물고기를 통틀어 이르는 말.
911) 시러베아들: 실없는 사람을 낮잡아 이르는 말.

"아서라. 내가 이렇게 오래 있다가는

저 놈한테 배를 꼭! 떼일 모냥이니

어서 세상을 나가는 수 밖에 없구나."

이놈이 하직을 허는디

"대왕의 병세 위중하오니[913]

제가 세상을 빨리 나가 간을 속히 가지고 오겠나이다."

용왕이 이 말을 듣더니

"여봐라! 어서 별주부는 퇴공을 모시고

세상을 나가도록 허여라."

허고 영을 내려 노니

[중중모리]

별주부가 울며 여짜오되, 별주부가 울며 여짜오되

"토끼란 놈 본시[914] 간사하와

뱃속에 달린 간 아니 내고 보면은

초목금수[915]라도 비소헐[916] 테요

맹획의 칠종칠금허든 제갈량의 재주 아니여든[917]

한번 놓아 보낸 토끼를 어찌 다시 구하리까?

---

912) 모냥: '모양'의 사투리.
913) 위중(危重)하오니: 병세가 아주 무겁고 위태로우니.
914) 본시(本是): 본디. 본래.
915) 초목금수(草木禽獸): 풀과 나무, 날짐승과 길짐승.
916) 비소(誹笑)헐: 비웃을.
917) 칠종칠금(七縱七擒)하던 제갈량(諸葛亮)의 재주 아니여든: 제갈량이 맹획을 사로잡은 고사에서 비롯된 것.

당장의 배를 따 보아 간이 들었으면 좋으려니와

만일에 간이 없고 보면 소신의 구족[918]을 멸하여[919] 주옵고

소신을 능지처참[920]허드래도 여한[921]이 없사오니

당장의 배를 따 보옵소서."

토끼가 기가맥혀

"여봐라, 이놈, 별주부야!

야 이놈, 몹쓸 놈아!

왕명이 지중커늘[922] 니가 어찌 기망[923]허랴?

옛 말을 니가 못 들었느냐?

하걸이 학정[924]으로 용봉[925]을 살해코[926]

미구에[927] 망국[928]이 되었으니

너도 이놈 내 배를 따 보아 간이 들었으면 좋으려니와

만일에 간이 없고 보면

불쌍헌 나의 목숨이 너의 나라 사[929]가 되어

---

918) 구족(九族): 고조, 증조, 조부, 부친, 본인, 아들, 손자, 증손, 현손 및 형제, 사촌형제, 육촌 형제, 팔촌 형제를 아울러 일컫는 말.
919) 멸(滅)하여: 죄다 없어지거나 쳐부수어 없애버려. 여기서는 '죽여'라는 뜻으로 쓰였음.
920) 능지처참(陵遲處斬): 대역(大逆) 죄인에게 과하던 최대의 형벌. 머리, 양팔, 양다리, 몸뚱이를 여섯 부분으로 찢어서 각지에 보내어 여러 사람에게 구경시킴.
921) 여한(餘恨): 풀지 못하고 남은 원한.
922) 지중(至重)커늘: 더없이 귀중하거늘.
923) 기망(欺罔): 남을 그럴듯하게 속임. 기만(欺滿).
924) 하걸(夏桀)이 학정(虐政): 하(夏)나라 걸(傑)임금의 포악한 정치.
925) 용봉(龍逢): 관용봉(關龍逢). 하(夏)나라 걸(傑)임금 때 대신으로 임금에게 옳은 일을 간하다가 죽임을 당한 충신.
926) 살해(殺害)코: 죽이고.
927) 미구(未久)에: 오래지 않아. 곧.
928) 망국(亡國): 나라가 망함 또는 나라를 망침.
929) 사: 사귀(邪鬼). 사악한 귀신.

너그 용왕 백 년 살 때 하루도 못 살 테요

너그 나라 만조백관 한 날 한 시에

모두 다 몰살[930] 시키리라!

아나 엿다, 배 갈러라!

아나 엿다, 배 갈러라! 아나 엿다, 배 갈러라!

똥밖에는 든 것 없다. 내 배를 갈러 네 보아라"

---

930) 몰살(沒殺): 모조리 다 죽임.

XI. 토끼,
다시 육지세상으로

39. 가자 가자 어서 가자 (진양조)

- 토끼가 별주부 자라 등에 업혀 육지 세상으로 나간다.

[아니리]

용왕이 분부 허시되,

“왜 이리 잔말이 심헌고. 어서 빨리 나가도록 허여라!”

별주부는 하릴없이 토끼를 업고 강가로 나오며

“야 이놈 토끼야! 네 양심은 있을 것이다.”

별주부가 토끼를 데리고 세상을 나오는디

세상 경개[931]가 장히 좋던가 보더라.

[진양조]

“가자. 가자. 어서 가자.

이수[932]를 지내여 백로주[933]를 어서 가자

고국산천을 바라보니, 청천 외[934]에 멀어 있고

일락장사추색원허니 부지하처조상군고[935]

한 곳을 바라보니 한 군자[936] 서 있으되

푸른 옷 입고 검은 관을 쓰고

931) 경개(景槪): 경치가 빼어나게 좋은 곳.

932) 이수(二水): 중국 남경을 지나 양자강으로 흐르는 진수(秦水)와 회수(淮水).

933) 백로주(白鷺洲): 양자강 가운데 있는 모래섬.

934) 청천외(靑天外): 푸른 하늘 밖. 푸른 하늘 멀리.

935) 일락장사추색원(日落長沙秋色遠)허니 부지하처조상군(不知何處弔湘君)고: ‘해는 긴 모래밭에 떨어지고 장사(長沙) 고을의 가을빛은 멀리 아득한데 어디서 상군을 조문해야 할지 모르겠구나’라는 뜻.

936) 군자(君子): 굴평을 가리킴.

문왈, "퇴공은 하이지차하오?"[937]

토끼가 듣고 대답을 허되

"회족청산허니 관불과제관이요.

탁족무림허고 태불과봉황이라.

소무지식허고 유매평생이라."[938]

한 곳을 당도허니 돛대 치는 저 사공은 월범려[939] 아닐른가?

함외장강공자류[940]난 등왕각[941]이 여기로구나.

40. 백마주 바삐 지내여 (중중모리)

- 육지 세상으로 나가면서 사면 경치를 구경한다.

[중중모리]

백마주[942] 바삐 지내여 적벽강을 당도허니

소자첨 범중류로다.[943]

동산에 달 떠오네, 두우간 배회허고 백로횡강[944]을 함께 가.

---

937) 하이지차(河以至此)하오: '무슨일로 여기까지 다다랐오.'라는 뜻.

938) 회족청산(會足靑山)허니 관불과제관(觀不過諸觀)이요 탁족무림(濁足無臨)허고 태불과봉황(胎不過鳳凰)이라 소무지식(素無知識)허고 유매평생(流魅平生)이라: '청산에 돌아드니 보이는 경치마다 정겨워 그대로 지나칠 수가 없고, 더러운 발이 이곳에 미치지 않아 봉황도 그대로 지나치지 않을 만큼이나 평화로운 세상인데, 본디 지식이 없어(거북에게 속아서 용궁에 갔다가) 도깨비가 되어 떠돌 뻔했다.'

939) 월범려(越范蠡): 월나라의 재상.

940) 함외장강공자류(檻外長江空子流): '난간 밖에는 형강의 긴 강물이 밤낮없이 흐른다.' 왕발(王勃)이 지은 「藤王閣」이라는 정자서문(亭子序文)의 마지막 귀절임.

941) 등왕각(藤王閣): 중국 당 태종(唐 太宗)의 아우, 등왕 이원영(李元嬰)이 659년 강서성(江西省) 남창의 서남쪽에 세운 누각으로 강남 3대 명루의 하나임.

942) 백로주(白馬洲): 하남성 활현의 회수 강가에 있는 곳. 조조가 안양의 군사에게 포위당했다가 관우의 도움으로 살아난 백마싸움이 벌어졌던 곳.

943) 범중류(泛舟遊)로다: 배를 물에 띄워 노닐도다.

944) 동산에 달 떠오네 두우간 배회(斗牛間 徘徊)허고 백로횡강(白露橫江): '달이 동산

소지노화월일선[945] 추강어부가 보인 배[946]

기경선자[947] 간 연후 공추월지단단[948]

자라 등에다 저 반달 실어라

우리 고향을 어서 가, 환산농명월[949] 원해근산[950] 좋을씨고

기주[951]로 돌아들 적, 어조[952]허던 강태공[953]은

위수로 돌아들고 은린옥척[954]뿐이라

벽해수변[955]을 당도하야

깡짱 뛰여내리며 모르는 체로 가는구나

위에 떠올라 북두성과 견우성 사이에서 오락가락하니 백로가 강을 가로질러 간다' 소식이 쓴「적벽부」의 앞부분을 본 딴 구절.

945) 소지노화월일선(笑指蘆花月溢船): 웃으면서 손가락으로 흰 갈대꽃과 달빛이 가득한 배를 가리킴.

946) 추강어부(秋江漁夫)가 보인 배: 가을 강에 어부는 어디 가고 배만 매어있다.

947) 기경선자(騎鯨仙子): 고래를 탄 신선. 이태백을 가리킴.

948) 공추월지단단(空秋月之團團): (가을을 노래하던 이백의 풍류는 간 곳이 없고) 속절없이 밝은 가을 달만 둥글게 떠 있다.

949) 환산농명월(還山弄明月): 고향에 들어가서 밝은 달을 보며 즐김.

950) 원해근산(遠海近山): 바다는 멀고 산이 가까움.

951) 기주(冀州): 중국 고대 구주(九州)의 하나.

952) 어조(魚釣): 낚시질.

953) 강태공(姜太公): 중국 주나라 초기의 정치가로, 본명은 강상(姜尙)임.

954) 은린옥척(銀鱗玉尺): 비늘이 번쩍번쩍하고 모양이 좋은 물고기를 비유하여 이르는 말.

955) 벽해수변(碧海水邊): 짙푸른 바다의 물가.

41. 네기를 붙고 (중모리)
- 육지 세상에 도착한 토끼가 별주부 자라를 욕하며 산 속으로 도망간다.

[아니리]

별주부 기가 막혀

"여보, 퇴공! 간 좀 속히 가지고 오시오"

가든 토끼 돌아다보며 욕을 한번 허고 가는디,

[중모리]

"네기를 붙고, 발기를 갈 녀석.[956]

뱃속에 달린 간을 어찌 내고 들인단 말이냐?

미련허드라. 미련허드라. 너그[957] 용왕이 미련허드라.

너그 용왕 실겁기[958] 날 같고[959]

내 미련키 너그 용왕 같거드면

영락없이[960] 죽을 걸.

내 밑궁기[961] 서이[962] 아니였드라면, 내 목숨이 살어나리?

내 돌아간다. 내가 돌아간다. 백운청산[963]으로 나는 간다."

---

956) 발기를 갈 녀석: '발기다'에서 나온 욕으로, '찢어 죽일 녀석'이라는 뜻.
957) 너그: 너희.
958) 실겁기: 슬기롭기.
959) 날 같고: 나와 같고.
960) 영락(零落)없이: 조금도 틀리지 아니하고 꼭 들어맞게.
961) 밑궁기: 밑구멍.
962) 서이: 셋이.
963) 백운청산(白雲靑山): 흰 구름 속에 싸인 푸른 산.

42. 사람의 내력을 들어라 (자진모리)

- 토끼가 방정 떨다가 그물에 걸려 죽게 될 지경이 되자, 지나가는 쉬파리들에게 쉬를 슬어달라고 부탁하나 쉬파리가 사람의 손은 당하지 못할 것이라고 말한다.

[아니리]

"너 이놈 별주부야! 너 헌 소행으로 봐서는
저 내민 바위 위에다 옹기짐[964]을 부시듯
콱 부셔 죽일 일이로되 수로 만 리를 나를 업고
나온 정성을 생각허여 니 목숨은 살려 줄 터이니
다시는 그런 보초때기 없는[965] 짓을 마라!
그리고 니 정성이 지극허니 너의 용왕 멕일[966]
약이나 하나 일러주마.
내 이번에 수궁에 들어갔더니 자라 이쁜놈 쌨더구나.[967]
하루에 일천오백 마리씩만 잡어서 석 달 열흘간 멕이고
복쟁이[968] 쓸개를 천석을 만들어서 양일간[969]을 다 멕이면
아마 죽던지 살던지 양단간[970]에 끝이 날 것이다.
자 나는 간다. 어서 들어가거라."

964) 옹기(甕器)짐: 옹기그릇을 짊어진 짐.
965) 보초때기 없는: 보추때기 없는. '보추'는 힘으로 일을 해내겠다는 성질, 곧 '진취성'을 속되게 이르는 말. 여기에서는 '버릇이나 싹수가 없는'의 의미로 쓰였음.
966) 멕일: '먹일'.
967) 쌨더구나: 많더구나.
968) 복쟁이: 흰점복. 참복과에 떨린 바닷물고기로, 몸빛은 까맣고 많은 흰점이 있으며 알집과 간장, 비부 등에 맹독이 있음.
969) 양일간(兩日間): 이틀 사이에.
970) 양단간(兩端間): 이렇게 되든지 저렇게 되든지. 좌우간.

[창조]

별주부는 하릴없이 수궁으로 들어가고

[아니리]

토끼란 놈은 죽을 목숨 살아났다고

이리 뛰고, 저리 뛰고 방정[971]을 떨다가

그물에 달칵 걸렸것다

[창조]

"아이고, 이를 어쩔거나?

차라리 내가 수궁에서 죽었드라면

정조[972] 한식[973] 단오[974] 추석이나

받어 먹을 텐디 이제는 뉘 놈의 뱃속에다

장사를 지낼거나?"

[아니리]

이리 한참 설리울 제

그때여 쉬파리 떼가 어디서 '윙' 허고 날아들더니

토끼란 놈 좋아라고

---

971) 방정: 듬직하지 못하고 몹시 가볍게 하는 말이나 행동.
972) 정조(正朝): 설날 아침.
973) 한식(寒食): 동지로부터 105일째 되는 날. 이 날은 자손들이 저마다 조상의 산소를 찾아, 높고 큰 은덕을 추모하며 제사를 지내고 묘지에 손질을 하는 날.
974) 단오(端午): 음력 5월 5일.

"아이고 쉬낭청[975] 사촌님네들! 어디 갔다 인자 오시오?"

"오, 이놈. 그물에 걸렸으니 속절없이 죽게 되었구나."

"아, 죽고 살기는 내 재주에 매였으니

내 몸에다 쉬[976]나 좀 담뿍 슬어주시오.[977]"

"니가 꾀를 부릴 양으로 쉬를 슬어 달라헌다마는

사람에 손을 당할쏘냐?"

"사람에 손이 어떻단 말씀이오?"

"내 이를 테니 들어보아라."

[자진모리]

"사람의 내력을 들어라. 사람의 내력을 들어봐라.

사람의 손이라 허는 것은 엎어노면 하늘이요

뒷쳐놓으면[978] 땅인디

요리조리 금[979]이 있기는 일월[980] 다니는 길이요

엄지 장가락[981]이 두 마디기는 천지인 삼재[982]요

집가락[983]이 장가락만 못허기는 정월, 이월, 삼월

장가락이 그 중에 길기난 사월, 오월, 유월이요

---

975) 쉬낭청(郞廳): 낭청 벼슬을 하는 쉬파리라는 뜻으로, 쉬파리를 의인화한 표현.
976) 쉬: 파리의 알.
977) 실어주시오: '슬다'는 (벌레나 물고기 따위가) 알을 갈겨 주는 일.
978) 뒷쳐놓으면: 뒤집어 놓으면.
979) 금: (줄을) 긋거나 접거나 한 자리.
980) 일월(日月): 해와 달.
981) 장가락: 가운뎃 손가락.
982) 천지인삼재(天地人三才): 음양설에서 세상의 근본이 되는 하늘과 땅과 사람을 일컫는 말.
983) 집가락: 집게손가락.

무명지 가락[984]이 장가락만 못허기는 칠월, 팔월, 구월이요

소지[985]가 그 중에 짜릅기는[986] 시월, 동지, 섣달인디

자오묘유[987]가 여가[988] 있고

건감간진손이곤태[989] 선천팔괘[990]가 여가 있고

불도[991]로 두고 일러도 감중연,[992]간상연[993] 여가 있고

육도기문[994]의 대장경[995]이 천지가 모두 일장중이니[996]

니 아무리 꾀를 낸들 사람의 손 하나 못 당허리라.

두 말 말고 네 죽어라!"

---

984) 무명지(無名指)가락: 넷째 손가락. 약손가락.
985) 소지(小指): 새끼손가락.
986) 짜릅기는: 짧은 것은.
987) 자오묘유(子午卯酉): 십이지 가운데 네 요소. 곧, 자는 북쪽, 오는 남쪽, 묘는 동쪽, 유는 서쪽으로 즉, 네 방향을 말하는 것.
988) 여가: 여기가.
989) 건감간진손이곤태(乾坎艮震巽離坤兌): 주역에서 이 세상의 모든 현상을 음양의 이치로 통해서 말하는 선천팔괘의 괘명.
990) 선천팔괘(先天八卦): 지금으로부터 약 7500년 전 태호 복희씨(太昊 伏羲氏) 때, 중국 황하에서 용마가 지고 나온 그림을 기본으로 하여 만들었음.
991) 불도(佛道): 부처의 도(道).
992) 감중연(坎中連): 팔괘(八卦)중 6번째 괘. 감괘(坎卦)를 부르는 말로 중간만 연결이 되어 있다고 해서 붙여진 이름.
993) 간상현(艮上連): 팔괘 중 7번째 괘. 간괘(艮卦)를 부르는 말로 산을 상징하여 7간산이라 통칭하고 고유숫자는 7임.
994) 육도기문(六道記文): 불교에서 중생이 지은 죄에 따라 이르게 된다는 여섯 세계로 곧, 지옥 · 마귀 · 축생 · 수라 · 인간 · 천상에 대하여 적은 글을 말함.
995) 대장경(大藏經): 불경의 총칭. 일체의 불경을 모두 모아놓은 것.
996) 일장중(一掌中)이니: 손바닥 하나 속에 있으니.

43. 어이 가리너 (중모리)

- 토끼가 죽은 체하고 있을 때, 풀 베는 아이들이 신세타령을 하며 올라온다.

[아니리]

"그저 죽고 살기는 내 재주에 매였으니

어서 내 몸에다 쉬나 좀 담뿍 슬어주시오."

쉬파리 떼가 달라 들어 쉬를 슬어놓고 날아간 뒤에

토끼란 놈 쉬 한짐 짊어지고 죽은 듯이 엎졌을 적에

그때여 초동목수 아이들이 지게 갈퀴 짊어지고

메나리[997]를 부르며 올라오는디

[중모리]

"어이 가리너, 어이 가리너, 어이 가리너 너화 넘차.

사람이 세상에 삼겨날 제 별로 후박[998]이 없건마는

우리네 팔자는 무슨녀르[999] 팔자로서 심심산곡[1000]을 다니는가?

여보아라, 친구들아.

너는 저 골을 베고, 나는 이 골을 베어

부러진 잡목, 떨어진 낙엽을 긁고, 베고, 몽뚱거려[1001]

위부모보처자[1002]를 극진공대[1003]를 허여 보세.

---

997) 메나리: 동부 민요의 선율을 가리키는 말.
998) 후박(厚薄): 두꺼움과 얇음. 후함과 박함.
999) 무슨녀르: 무슨 놈의. 맞을 놈의. '녀르'는 사물이나 대상을 낮추어 함부로 일컬을 때 쓰는 말조각.
1000) 심심산곡(深深山谷): 아주 깊은 산골짜기.
1001) 몽뚱거려: 되는 대로 뭉치어 싸서.
1002) 위부모보처자(爲父母保妻子): 부모를 위하고, 아내와 자식을 보살피는 일.

어이 가리너 너화 넘차."

44. 관대장자 한고조 (중중모리)
- 토끼가 꾀로 살아나서, 잘난 체하며 좋아한다.

[아니리]

이리 한참 올라오다 보니, 그물에 토끼가 걸렸것다
"아따, 야들아! 여그 토끼 걸렸다.
거 불 피워라. 구워 먹고 가자."
한 놈이 토끼 뒷다리를 쑥 빼어 보드니,
"앗따! 이놈 걸린 지 오래 되었다. 쉬를 담뿍 슬었구나."
"그러면 거 냄새 맡아 보아라."
이놈이 냄새를 맡되 머리쯤 맡았으면 잘 구워먹고 갈 것인디
하필이면 밑궁기[1004]에다 맡어논 것이
이 꾀 많은 토끼란 놈이 수궁에서 참고 나왔던 도토리 방구를
스르르르 뀌여노니, 꼭 구렁이 썩는 냄새가 나것다.
"아따, 여 구렁이 썩는 냄새가 난다."
"썩었으면 내쏴 버려라. 내쏴 버려!"
저 건너에다 획 집어 던져 노니, 토끼란 놈 오뚝 서며
"어이, 시러배 아들놈들.
내가 수궁에 가서 용왕도 속이고 나왔는디

1003) 극진공대(極盡恭待): 그 이상 더할 수 없이 마음을 다하여 공손하게 잘 대접함.
1004) 밑궁기: 밑구멍.

너그 같은 놈들한테 당헐소냐?”

토끼란 놈 죽을 목숨 살아났다고

이리 뛰고 저리 뛰고 방정을 떨고

한번 놀아 보는디

[중중모리]

“관대장자 한고조[1005)]

국량[1006)] 많기가 날만허며[1007)]

운주결승[1008)] 장자방[1009)]이 의사[1010)] 많기가 날만허며

신출귀몰[1011)] 제갈량[1012)]이 조화[1013)]많기가 날만허며

무릉도원[1014)] 신선이라도 한가허기가 날만허며

옛 듣던 청산 두견,[1015)] 자주 운다 각 새 소리.

타향 수궁에 갔던 벗님 고국산천이 반가워라.“

기산[1016)] 광야[1017)] 너른 천지, 금잔디[1018)] 좌르르르 깔린 디

1005) 관대장자 한고조(寬大長者 漢高祖): 성품이 너그럽고 점잖은 한나라를 세운 유방(劉邦).
1006) 국량(局量): 사람을 포용하는 도량(度量)과 일을 처리하는 능력.
1007) 날만하며: 나 정도 되며.
1008) 운주결승(運籌決勝): 대나무를 가늘게 쪼개어 만든 셈가지로 주역의 괘를 뽑아 전쟁에 이길 것을 점침.
1009) 장자방(張子房): 유방을 도와 한나라를 세우는 데 큰 공을 세웠던 모사.
1010) 의사(意思): 무엇을 하려고 하는 생각이나 마음. 여기서는 '계략'을 말함.
1011) 신출귀몰(神出鬼沒): 귀신처럼 자유자재로 나타났다 사라졌다 함.
1012) 제갈량(諸葛亮): 중국 삼국시대 촉한(蜀韓)의 정치가(181~234)로, 자(字)는 공명(孔明)이며, 낭야군 양도현 출생임. 명성이 높아 와룡선생(臥龍先生)이라 일컬음.
1013) 조화(造化): 남이 모르게 이리저리 꾸며 만들어 놓은 일 또는 그런 일을 꾸미는 재간.
1014) 무릉도원(武陵挑源): 도연명의 「도화원기(挑化源記)」에 기술된 선경(仙境). 무릉의 어부가 배를 저어 복숭아꽃이 흘러 내려오는 곳을 찾아 갔더니 그곳에 이상향이 있었다는 가공(架空)의 땅.
1015) 청산 두견(靑山 杜鵑): 푸른산의 두견새.
1016) 기산(箕山): 중국 하남성 등봉(登封)현의 동남쪽에 있는 산이며, 아래에 영수가 흐름.

이리 뛰고, 저리 뛰고, 깡짱 뛰어 내리며
“얼씨구나 절씨구. 얼씨구 절씨구 지화자 좋네
고국산천이 반가워라.”

45. 아이고 아이고 (중모리)
- 토끼가 독수리에게 잡혔으나 속임수를 써서 독수리를 따돌리고 살아난다.

[아니리]
이리 한참 노닐 적에
독수리란 놈이 어디서 ‘윙’허고 날아들더니
토끼 대굴빡[1019]을 후다딱 뚝딱!
“아이고, 장군님. 어디 갔다 인자 오시오?”
“오, 내가 둥 떠 다니다가 시장[1020]해서
너를 잡어 먹을라고 왔다.”
“아이고, 장군님. 어디서부터 잡수실라요?”
“거 어두일미[1021]라니 맛 좋은 대가리서부터 먹어야겄다.”
“아이고 장군님 나 죽기는 설찮으나[1022]
나의 설움[1023]이나 한 번 들어보시오.”

1017) 광야(曠野): 아득하게 넓은 벌판.
1018) 금(金)잔디: 잡풀이 섞여 나지 않게 잘 가꿔 곱게 깔린 잔디.
1019) 대굴빡: '머리'의 속된 말.
1020) 시장: '배가 고픔'을 점잖게 이르는 말.
1021) 어두일미(魚頭一味): 물고기는 머리 쪽이 맛있다는 의미.
1022) 설찮으나: 서럽지 않으나.
1023) 설움: 서럽게 느껴지는 마음.

"아니, 이 녀석아! 니가 무슨 설움이 있단 말이냐?"
이놈이 청승[1024] 떨고 한번 울어 보는디

[중모리]
"아이고 아이고, 어쩔거나! 아이고, 이를 어쩔거나!
수궁 천 리 먼 먼 길에 겨우 얻어 내 온 것을
무주공산[1025]에다 던져두고
임자없이 죽게 되니 이 아니 섧소리까[1026]?"

[아니리]
"야, 이놈아! 그것이 무엇이란 말이냐?"
"그것이 다른 것이 아니오라
제가 이번에 수궁엘 들어갔었지요."
"그래서?"
"수궁엘 들어갔더니 용왕님이 의사 줌치[1027]를 하나 주십디다."
"의사줌치? 그래, 그것이 무엇이란 말이냐?"
"그것이 하도 이상스럽게 생겼는디
짝 펴놓고 보면 궁기가 서너 개 뚫렸는디
한 궁기를 탁 튕기면서
'썩은 되야지 창자나 개 창자 나오니라'허면

1024) 청승: 궁상스럽고 처량하여 보기에 언짢은 태도나 행동.
1025) 무주공산(無主空山): 주인 없는 비어있는 산.
1026) 이 아니 섧소리까: 이 일이 어찌 서럽지 않습니까.
1027) 의사(意思) 줌치: 갖은 꾀가 들어있는 주머니. '줌치'는 '주머니'의 방언.

그저 꾸역꾸역 나오고요
또 한 궁기를 탁! 튕기면서
'삥아리[1028]새끼나 일천 오백마리나 나오니라'허면
그저 꾸역 꾸역 나오는
그런 보물을 저 무주공산[1029]에다가 던져두고
임자 못 찾어주고 죽을 일을 생각허니
그 아니 섧소?"
"야, 이놈 토끼야. 그거 나 줄래?"
"아이고, 장군님! 목숨만 살려주신다면 드리고말고요."
"어디 있느냐? 가자!"
독수리란 놈이 토끼 대굴박을
좋은 소주병 들듯 딱 들고서 훨훨 날아가더니
"나 시장해 못 살겄다. 어서 빨리 의사줌치를 내오니라."
"장군님, 내가 저 안에 들어가서 내 올탱께
내 뒷발을 잡고 계시다가
내가 놓아 달라는 대로 쪼끔씩만 놔 주십시오."
토끼는 원래 꾀가 많은 놈이라
앞발을 바위틈에다 쑥 집어넣고 버티더니
"장군님, 아 닿을만 허요. 쪼금씩만 더 놔 주시오."
"장군님, 아 닿을만 허요. 쪼끔씩만 더 놔주시오."
'쪼끔, 쪼끔, 쪼끔'허더니 뒷발로 독수리 대굴박을 탁 차고

1028) 삥아리: '병아리'의 방언.
1029) 무주공산(無主空山): 주인 없는 비어있는 산.

안으로 들어가 느닷없이 시조 반장[1030]을 허것다.

[시조창][1031]

“세월이 여류[1032]허여”

[아니리]

“야 이놈 토끼야, 아 내가 시장해서 못살것다는디
니가 이리 한가헌 체허고 시조 반장을 혀?”
“너 이놈, 독술아. 내 발길 나가면
니 해골 터질테니 어서 썩 날아가거라!”
“너 이놈! 다시는 그 속에서 안 나올래?”
“내가 인자 늙어서 노래[1033]해 출입 헐 수도 없고
집에서 손자나 봐주고, 자봉[1034]이나 헐란다.
이것이 바로 의사줌치라는 것이다! 어서 썩 날아가거라.”

1030) 반장(半章): 3장으로 된 시조의 첫 부분.
1031) 시조창(時調唱): 시조에 곡을 얹어 느리게 부르는 노래.
1032) 여류(如流): 물의 흐름과 같다는 뜻으로, 흔히 '세월의 빠름'을 비유하여 이르는 말.
1033) 노래(老來): '늘그막'을 달리 이르는 말. 만래(晩來).
1034) 자봉(自奉): 자기 몸을 스스로 잘 보양(保養)하는 일.

46. 독수리 그제야 (엇중모리)

- 독수리는 날아가고, 용왕은 병이 낫고, 토끼는 산중에서 늙도록 살아간다.

[엇중모리]

독수리 그제야 돌린[1035] 줄을 알고 훨훨 날아가고

별주부 정성으로 대왕 병도 즉차[1036]허고

토끼는 그 산중에서 완연히[1037] 늙더라.

그 뒤야 뉘가 알꼬?

더질더질.

1035) 돌린: 이치가 그럴싸한 일로 남에게 속은.
1036) 즉차(卽瘥): 병이 곧 나음.
1037) 완연(宛然)히: 마치 눈앞에 보는 것처럼 뚜렷하게.

부 록

최 란 수 활동내용

최란수(崔蘭洙, 1931~2013)은 20세기~21세기에 활동한 판소리 여성 명창이다.

1. 최란수 학습 과정

[표 1] 최란수 학습 과정

나이	학습 과정
9세	『춘향가』 이기권 사사
	『심청가』 김동준 사사
20세	『수궁가』, 『흥보가』 박초월 사사

[표 1] "최란수 학습 과정"은 9세 때 다니던 초등학교를 졸업 못하고, 판소리를 배우기 위해 전주국악원의 이기원 명창을 첫 스승으로 만나게 되며,이기권 명창의 집에 가서 밥해 주고 심부름하면서 3년간 『춘향가』를 사사하였으며, 김동준 명창을 만나 『심청가』를 사사하였다.

그리고, 20세에 인생의 스승이자 마지막 스승인 박초월 명창의 문하로 들어가서 『수궁가』와 『흥보가』를 사사하였다.

2. 최란수 수상 경력

[표 2] 최란수 수상 경력

년도	수상 경력
1980	제 6회 전주 대사습놀이 명창부 장원(대통령상)
1984	제 1회 남도예술제 최우수상

[표 2] "최란수 수상 경력"은 1980년 제 6회 전주 대사습놀이 명창부 장원을 하여 대통령상, 1984년 제 1회 남도예술제 최우수상을 수상하였다.

3. 최란수 음악 활동

[표 3] 최란수 음악 활동

년도	활동 내용
1981	제 1회 『박초월제 수궁가』 완창발표회 (군산제일극장)
	제 2회 『박초월제 수궁가』 완창발표회 (서울국립극장)
1982	제 3회 『박초월제 흥보가』 완창발표회 (군산제일극장)
	제 4회 『박초월제 흥보가』 완창발표회
1990	『박초월제 수궁가』 제자발표회
1997	제 5회 『박초월제 흥보가』 완창발표회 (서울국립극장)

[표 3] "최란수 음악 활동"에서 최란수는 인생 스승 박초월에게서 사사한 『박초월제 수궁가』를 3회, 『박초월제 흥보가』를 3회 이상 완창하여 자신의 음악 세계를 구축하였다. 특히, 1982년 『박초월제 흥보가』 완창발표회를 계기로 자신의 이름을 알리기 시작하였으며, 제자발표회를 통해, 제자들을 양성하였다.

4. 최란수 직책 활동

[표 4] 최란수 직책 활동

년도	활동 내용
1987	'춘향가'로 전라북도 무형문화재(제 2-05호)보유자로 지정
2002	제 1회 군산 전국국악경연대회 유치 (대회장 역임)
	전북국악협회 이사
	전주 대사습놀이보존회 이사
	한국전통예술진흥회 이사 역임

[표 4] "최란수 직책 활동"에서 최란수는 1987년에 '춘향가'로 전라북도 무형문화재 보유자로 지정되었으며, 2002년에 제 1회 군산 전국국악경연대회를 유치하고 대회장을 역임, 전북국악협회 이사, 전주 대사습놀이보존회 이사, 한국전통예술진흥회 이사를 역임하였다.

5. 최란수 음반 활동

[표 5] 최란수 음반 활동

년도	활동 내용	제작회사
2001	「박초월제 수궁가 완창」	㈜신나라 뮤직

[표 5] "최란수 음반 활동"에서는 2001년 ㈜신나라 뮤직에서 「박초월제 수궁가 완창」을 제작하였다.

6. 최란수 교육 활동

[표 6] 최란수 교육 활동

년도	활동 내용
1976	정읍 국악원 강사
1978	군산 국악원 강사
1994	원광대학교 국악과 강사
1996	전주예술고등학교 강사
	남원국악예술고등학교 강사

[표 6] "최란수 교육 활동"은 1976년부터 본격적으로 전라북도 정읍 국악원에서 강습을 시작한다. 이후, 1978년 군산국악원, 1994년 원광대학교 출강, 1996년 전주예술고등학교, 남원국악예술고등학교를 출강하였다.

장 단 (長 短)

● 장단(長短)[1038]

: 한국전통음악의 빠르기와 리듬을 주도하는 박자 체계.

1. 진양조 장단

- 판소리 장단 중에 가장 느린 장단으로 빠르기는 ♩. = 35~45이다.
- 박자 표기 방법은 6/♩. 또는 18/8 박자로 표기한다.

박자표기	6/♩.	♩.			♩.			♩.			♩.			♩.			♩.		
	18/8	♪	♪	♪	♪	♪	♪	♪	♪	♪	♪	♪	♪	♪	♪	♪	♪	♪	♪
부호		⦶																			
구음		덩												덕			덕		

2. 중모리 장단

- 중모리 장단은 진양조 장단의 다음으로 느리며, 빠르기는 ♩ = 60~96 이다.
- 박자 표기 방법은 12/4 박자로 표기한다.

박자표기	12/4	♩	♩	♩	♩	♩	♩	♩	♩	♩	♩	♩	♩
		♪ ♪	♪ ♪	♪ ♪	♪ ♪	♪ ♪	♪ ♪	♪ ♪	♪ ♪	♪ ♪	♪ ♪	♪ ♪	♪ ♪
부호		⦶	○			○					○	○			○		○
구음		덩	쿵	덕	쿵	덕	덕	쿵	쿵	덕	쿵		쿵

1038) 이해를 돕기 위해 판소리 장단의 기본 개념만 정리하였다.

3. 엇중모리 장단

- 12박으로 구성된 중모리 장단의 절반되는 6박자로, 빠르기는 ♩= 80~90 이다.
- 박자 표기 방법은 6/4 박자로 표기한다.

박자표기	6/4	♩	♩	♩	♩	♩	♩
		♪ ♪	♪ ♪	♪ ♪	♪ ♪	♪ ♪	♪ ♪
부호		Φ	○	|	○	|	○
구음		덩	쿵	덕	쿵	덕	쿵

4. 단중모리 장단

- ♩= 60~96 보통 속도의 중모리 장단보다 더 빠르게 진행하는 장단이다.
- 박자 표기 방법은 12/4박자로 표기한다.

박자표기	12/4	♩	♩	♩	♩	♩	♩	♩	♩	♩	♩	♩	♩
		♪ ♪	♪ ♪	♪ ♪	♪ ♪	♪ ♪	♪ ♪	♪ ♪	♪ ♪	♪ ♪	♪ ♪	♪ ♪	♪ ♪
부호		Φ	○	|	○	|	|	○	○	|	○		○
구음		덩	쿵	덕	쿵	덕	덕	쿵	쿵	덕	쿵		쿵

5. 중중모리 장단

- 중모리와 거의 비슷하나 중모리보다 더 빠른 장단으로, 빠르기는 ♩.= 60~96 이다.
- 박자 표기 방법은 12/8박자로 표기한다.

박자표기	12/8	♩.			♩.			♩.			♩.		
		♪	♪	♪	♪	♪	♪	♪	♪	♪	♪	♪	♪
부호		Φ		|	○	|	|	○	○	|	○		○
구음		덩		덕	쿵	덕	덕	쿵	쿵	덕	쿵		쿵

6. 자진모리 장단

- 중중모리보다 더 빠르게 노래를 몰아가는 장단이며, 빠르기는 ♩. = 90~144 이다.
- 박자 표기 방법은 4/♩. 박자로 표기한다.

박자표기	4/♩.	♩.			♩.			♩.			♩.		
		♪	♪	♪	♪	♪	♪	♪	♪	♪	♪	♪	♪
부호		⦶			○			○		|	○	|	
구음		덩			쿵			쿵		덕	쿵	덕	

7. 엇모리 장단

- 3박자와 2박자의 혼합장단으로, 빠른 10박 장단이며, 빠르기는 ♪ = 160 이다.
- 박자 표기 방법은 10/8 박자로 표기한다.

박자표기	10/8	♩.			♩		♩.			♩	
		♪	♪	♪	♪	♪	♪	♪	♪	♪	♪
부호		⦶		|	○		○		|	○	
구음		덩		덕	쿵		쿵		덕	쿵	

8. 휘모리 장단

- 휘모리장단은 매우 빠른 템포의 장단으로, 빠르기는 ♩ = 116~144 이다.
- 박자 표기 방법은 4/4 박자로 표기한다.

박자표기	4/4	♩		♩		♩		♩	
		♪	♪	♪	♪	♪	♪	♪	♪
부호		⦶		|	|	○	|	○	
구음		덩		덕	덕	쿵	덕	쿵	

9. 창조

- 고수의 북 장단 없이, 소리꾼이 노래의 빠르기를 자유자재로 레치타티보[1039]처럼 말하듯이 노래하는 형식이다.

1039) 레치타티보(Recitativo): 서창(敍唱). 오페라에서 대사를 말하듯이 노래하는 형식을 말한다.

참 고 문 헌

단행본

최동현. 『수궁가 바디별 전집3』. 전주: 문화체육관광부・전라북도 전주세계소리축제 조직위원회, 2010.

박 황. 『판소리소사』. 서울: 신구문화사, 1983.

이규섭. 『판소리 답사기행』. 서울: 민예원, 1994.

전경욱. 『한국전통연희사전』. 서울: 민속원, 2014.

한국학중앙연구원. 『한국민족문화대백과』. 서울: 한국학중앙연구원, 1991.

음반

최란수. 『박초월 바디 최란수 창 수궁가』 신나라뮤직, 2001.

웹사이트

네이버백과사전, terms.naver.com.

다음백과사전, 100.daum.net

두산백과, https://www.doopedia.co.kr

위키백과, https://ko.wikipedia.org/wiki

한국민족문화대백과사전, https://encykorea.aks.ac.kr